PRACTIDEAS

Juguetes artesanales

POR JENNIFER LENZBERG, MARCELA GONZÁLEZ Y CAROLINA BUGLIONE

longseller

Abecé de la juguetería

ACCESORIOS

❑ **Abalorios**. Son una especie de rueditas con perforación central que se pueden usar para decorar o para separar dos partes, como en el móvil de la página 36.
❑ **Tapatornillos**. Son botones de madera que se usan como decoración o terminación.
❑ **Imanes**. Se compran por metro, en mercerías. Se cortan con tijera.
❑ **Recortes**. Muchos de los sobrantes de los juguetes sirven para hacer detalles de todo tipo, como las ruedas de los autitos de página 38, la florcita del xilofón de la página 30, las sogas del prono de página 26, las varillas del juguete de la página 12. Lo mismo sucede con la tela; todo retazo sirve para hacer un par de ojos o una nariz.

KIT BÁSICO

Éstas son las herramientas que integran el kit de un fabricante de juguetes (de arriba abajo y de izquierda a derecha): lija, martillo, pincel, tijera, trincheta, birome, lápiz negro, cola de carpintero, caladora del abuelo, taladro, mechas de distintas medidas y cambiador de mechas.

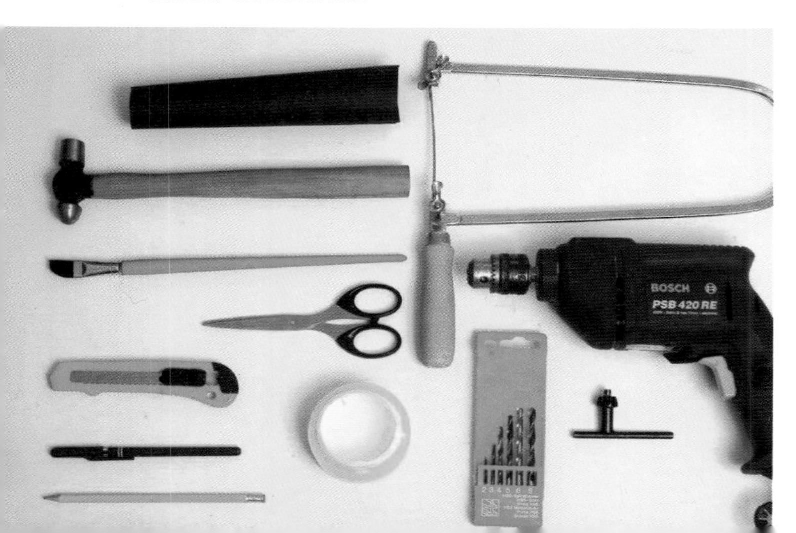

¿MADERA O MDF?

Se recomienda trabajar con pasta de madera (MDF), que se compra en madereras y supermercados del hogar. Se vende por planchas y se presenta en diferentes espesores. Los cortes suelen ser sin cargo. Si se prefiere trabajar con madera, la más fácil de conseguir y la más económica es la de pino. Como se trata de una madera blanda, requiere más lijado. La indicada es la lija fina al agua.

CALADO

❑ **POR EL CONTORNO**
Pasar la caladora del abuelo por el borde de la figura. Lijar para suavizar los bordes (1).

❑ **HUECO**
Se trabaja del mismo modo que el esténcil, pero en lugar de usar la tijera, se usa la caladora del abuelo.

Hacer un orificio en el centro de la "ventana" con el taladro (2).
Abrir la mariposa de la caladora, pasar la sierrita por el orificio y cerrar la mariposa (3).
Calar desde el centro hasta el borde de la "ventana" y desde ahí por todo el contorno (4).

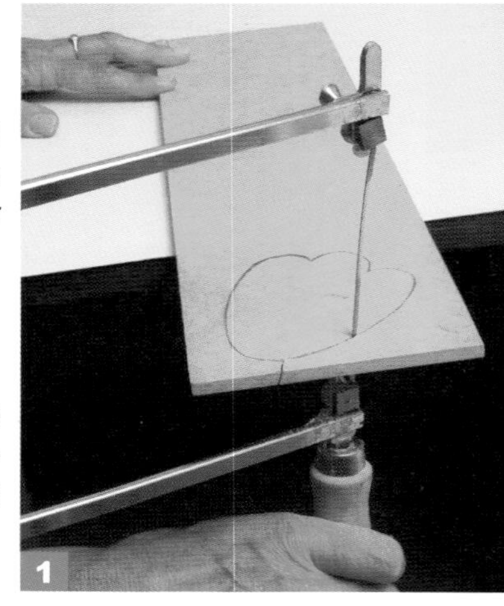
1

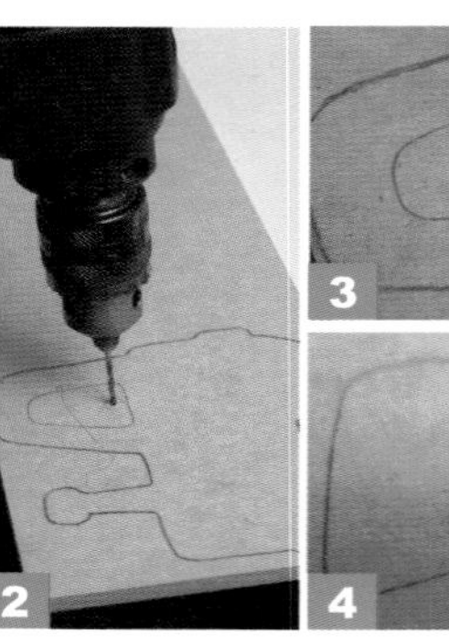
2 3 4

TÉCNICAS

❑ **Traslado de diseños.** Hay dos modos diferentes de realizarlo. Se puede cortar la figura, ubicar sobre la madera y pasar un lápiz negro a su alrededor, o también es posible poner un papel carbónico entre el dibujo y el material a cortar y transferir el diseño repasando el contorno con una birome o un lápiz.

❑ **Lijado.** Dado que se trata de objetos que van a manipular bebés y niños, es fundamental que no queden ángulos o cantos vivos, es decir, rugosos y desprolijos. El lijado se hace con lija al agua, hasta que la superficie de la madera o el MDF quede bien liso y sin vestigio de astillas sueltas.

❑ **Perforaciones pasantes y no pasantes.** Las pasantes tienen orificio de entrada y de salida. Las no pasantes sólo eliminan una parte de la madera o MDF, pero no comunican con el otro lado.

PINTURA

Lo más conveniente es usar pinturas al agua, porque tienen una menor concentración de metales pesados que los esmaltes. Para producciones pequeñas se pueden usar los acrílicos que se venden en las librerías artísticas. Pero, cuando se trata de volúmenes más grandes, conviene manejarse con látex. Es fundamental respetar el tiempo de secado de 24 horas antes de aplicar el barniz, a modo de terminación. En cuanto a los pinceles, conviene usar los de cerda, más suaves que los colegiales. Deben limpiarse después de su uso y lo ideal es destinar un juego de pinceles por color: uno mediano y uno fino, para los detalles. Para superficies extensas es preferible usar el rodillo, que no deja la marca de las pinceladas. En los detalles que requieren mucha precisión, como las caritas, se puede usar marcador indeleble de trazo fino, antes de aplicar la capa de barniz.

CALADORA ELÉCTRICA

Se recomienda la compra de esta herramienta. Pero es fundamental dominar su uso, para evitar lesiones y optimizar el tiempo de trabajo.

COSTURA

Las partes que arman una pieza de tela se unen con diferentes puntadas, hechas a mano o con máquina de coser. La ventaja de esta última es que además de la clásica puntada recta también da la posibilidad de hacer otras tipo bordado.

PUNTADA RECTA

Sirve para unir dos partes de género y para algunas aplicaciones.

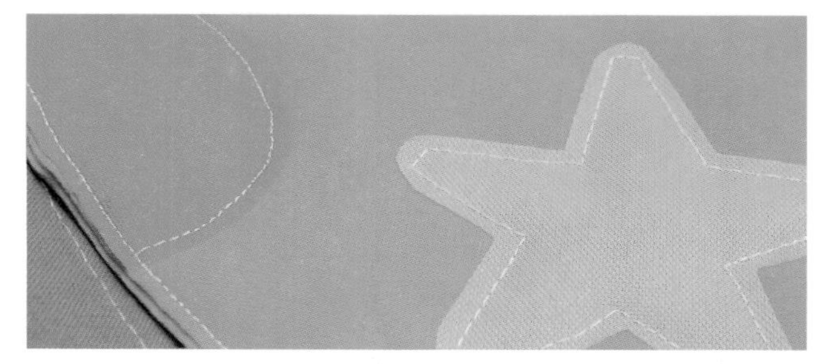

PUNTADA ZIGZAG

Se usa para fijar una parte de tela sobre otro género de mayor tamaño. Realiza una suerte de orillo que evita que se deshilache la tela.

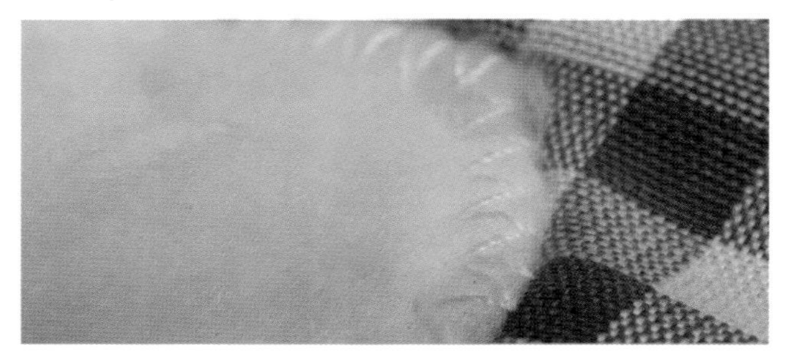

PUNTADA RELLENO

Se usa como puntada, cuando sostiene dos partes de tela y como bordado, para hacer detalles de terminación.

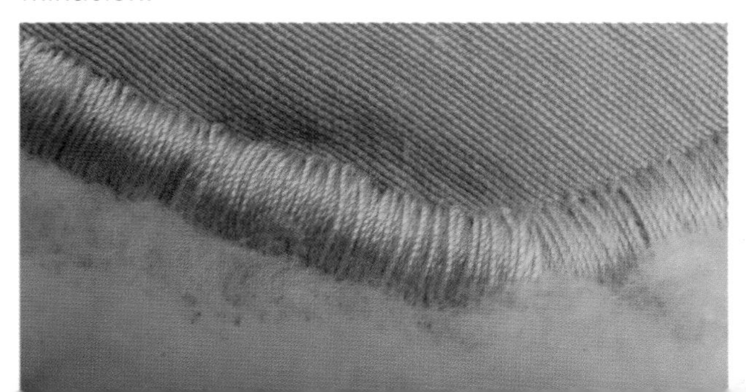

Con caritas de animales

Estimula la motricidad fina.

Materiales

- 1 listón de pino de 20 cm de largo x 2 cm de espesor
- 1 varilla de 50 cm de largo y 6 mm de diámetro
- 10 bolitas de 3,5 cm con agujero pasante de 1 cm
- Pincel
- Retazos de tela
- Pinturas acrílicas de color naranja, blanco, negro y amarillo
- Marcadores indelebles de trazo fino y trazo grueso
- Taladro y mecha de 6 mm
- Sierra
- Pistola encoladora
- Tapas para tornillos
- Cola

1. Lijar el listón, para que no queden ángulos vivos (ver pág. 3). Trazar un eje central y marcar sobre él cruces a 3,25 cm; a 4,5 cm de la anterior; a 4,5 cm de la última; a 4,5 cm nuevamente y una a 3,25 cm, que marca el final de la tabla.
2. Realizar cuatro perforaciones no pasantes (ver pág. 3) de 6 mm de diámetro sobre las cruces marcadas. Cortar la varilla en tramos de 15 cm; 11,5 cm; 8 cm y 4,5 cm. Pegar cada una de ellas en los agujeritos, de menor a mayor. Dibujar los números en el canto con el marcador grueso.
3. Pintar las bolitas. Dar una mano con el color base que corresponda y realizar líneas sueltas y finas, en negro. Hacer las caritas con pintura o con marcador indeleble fino negro.
4. Aplicar pelo y orejas al león, y orejas y tapitas a los otros, con la pistola encoladora.

1
2
3
4

Teatro de títeres

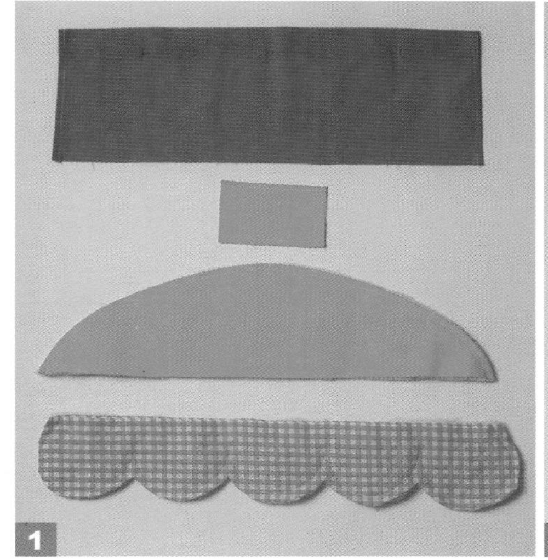

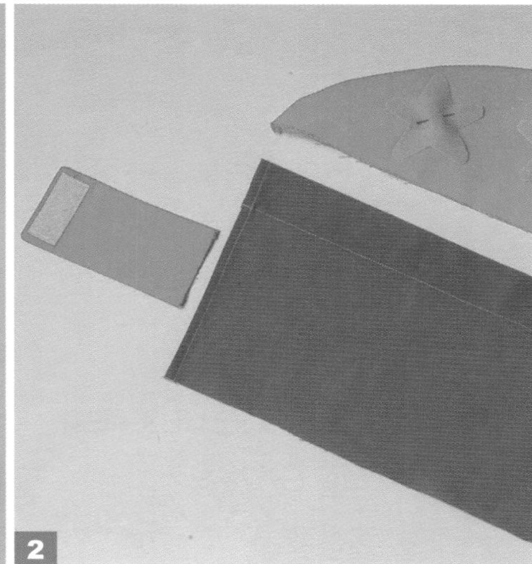

Materiales

- Tela de color turquesa, amarilla, naranja, violeta y cuadrillé roja y blanca, tela turquesa bordada con lentejuelas
- Abrojo
- Guata
- Cuerina amarilla y roja
- Cinta cola de rata
- Retazos de diferentes telas y colores
- Elástico

Parte superior

1. **Base**. Cortar un rectángulo de 55 x 22 cm de tela turquesa. Dobladillar en los bordes laterales. Doblar el borde superior a modo de zócalo (debe quedar de 3 cm) y coser. Cortar dos tiras dobles de 12 x 7 cm, coserlas y darlas vuelta. **Carpa**. Hacer un molde recto en su base y redondeado en la parte superior de 53 x 12 cm. Cortar la tela doble y la guata y dejar 1 cm para la costura. Encimar las telas enfrentando los derechos y por último la guata. Coser el contorno redondeado. **Volado**. Cortar tela doble y guata de 53 x 10 cm con ondas en su parte inferior. Sujetar con alfileres y coser por el contorno de las ondas, dejando 1 cm para costura. Cortar picos en las uniones para evitar frunces al dar vuelta. Marcar las ondas con molde, para que resulten bien parejas.
2. Dar vuelta la carpa por la base abierta. Pespuntear los apliques de cuerina. Encarar la tela de base del lado del revés y coser las tiras en ambos laterales. Coser un abrojo en los extremos de éstas.

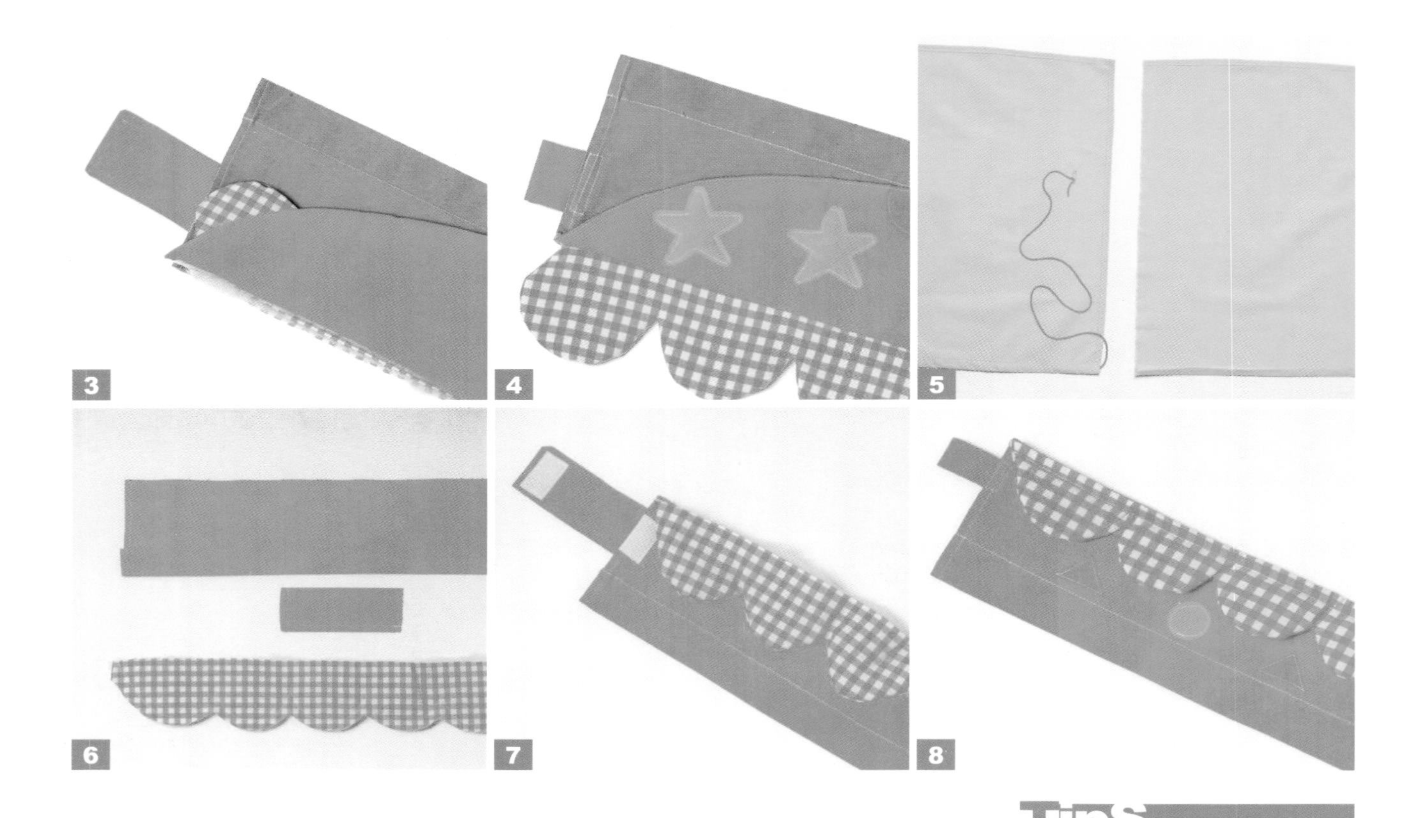

3. Enfrentar el revés de la tela de base con el derecho de la carpa e intercalar en el medio la tira con ondas. Coser el borde recto.
4. Dar vuelta la carpa y ribetear sobre el derecho de la base.
5. **Telón**. Cortar dos paneles de 37 x 49 cm de tela amarilla. Hacer los dobladillos en los bordes internos e inferiores. Realizar un pequeño zócalo en el borde superior, de no más de 1 cm. Pasar por dentro la cinta cola de rata y fruncir levemente. Hacer un zócalo de 3 cm en el borde externo.

Parte inferior

6. **Base**. Cortar un rectángulo de tela naranja de 55 x 17 cm. Dobladillar los laterales. Realizar un zócalo de 3 cm en el borde inferior. Cortar dos tiras dobles de 12 x 5 cm, coser los bordes, dejando un extremo abierto. Dar vuelta.
Volado. En un rectángulo de 56 x 6 cm de tela cuadrillé coser un contorno de ondas (más pequeñas que las de la parte superior) de dos telas y guata. Ponerla del derecho a través de la abertura.
7. Coser las tiras de la parte superior. Coser el volado sobre el lado recto, en el revés de la base. Dar vuelta y pespuntear del derecho.
8. Cortar tres rombos rojos y dos círculos amarillos y aplicarlos, pespunteándolos sobre la tela de base.

Tips

□ A las partes de tela hay que agregarles las varillas de madera que las sostienen. Éstas rematan y se asientan sobre cubos con orificios no pasantes, donde encastran las varillas.

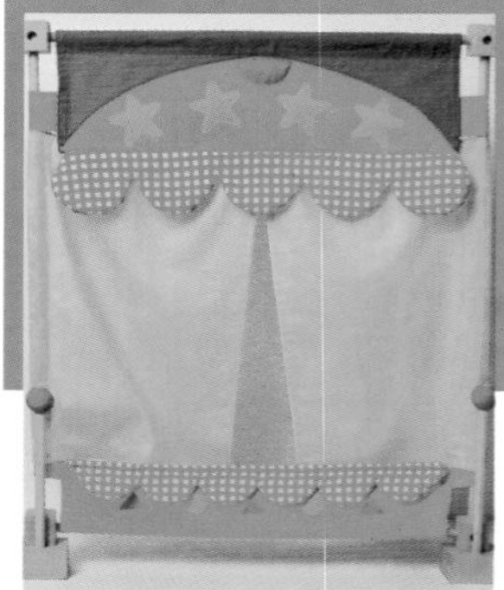

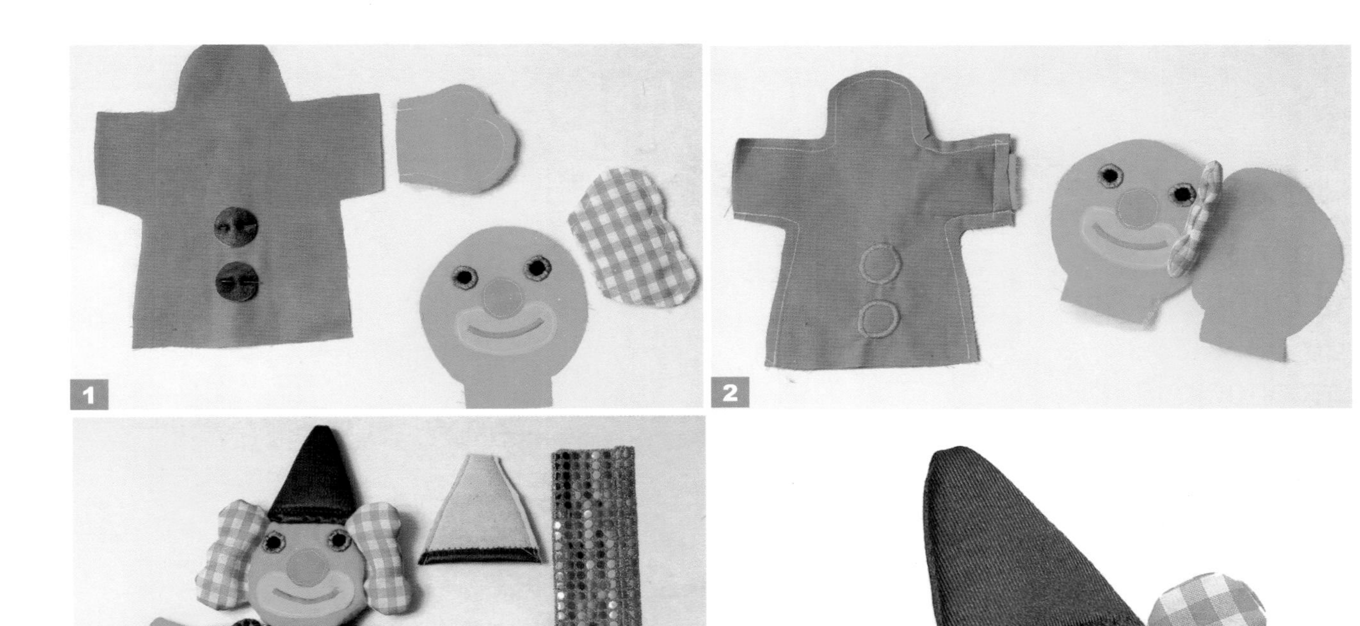

Títere

1. Cortar el camisolín en tela doble turquesa, la cabeza y las manos en tela doble naranja y el pelo en cuadrillé rosa y blanco, todo con guata. Ribetear las manos y el pelo, dejando los bordes rectos abiertos. Pespuntear en la cara la nariz y la boca. Cortar dos círculos de tela negra para realizar los ojos. Bordar los contornos de éstos y la boca. Cortar dos círculos azules para los botones y bordarlos sobre el camisolín con hilo turquesa.

2. Coser el camisolín dejando abiertos los extremos de los brazos y el borde inferior. Poner las manos del derecho e introducirlas en la abertura de las mangas y coser los lados rectos. Dar vuelta todas las piezas. Sobre la cara ubicar el pelo hacia adentro. Encarar los derechos de la cabeza, agregar la guata y ribetear el contorno dejando el cuello abierto para dar vuelta.

3. Cortar el bonete del payaso en tela doble color violeta y coser dejando abierto su lado inferior. Después, realizar el dobladillo. Es fundamental que se utilice una tela con cuerpo. Introducir la parte superior del camisolín dentro de la cabeza y coser con pequeñas puntadas efectuadas a mano, alrededor del cuello. Para el volado del cuello, cortar un rectángulo de 30 x 10 cm de tela bordada con lentejuelas. Hacer un dobladillo en el borde inferior y proceder del mismo modo con el superior, pero dejando 1 cm para pasar el elástico. Pasar el elástico por la tira del volado, fruncir y unir atrás.

Dominó

□ Estimula el ingenio, el cumplimiento de pautas, el reconocimiento de diferencias y semejanzas.
□ Incorpora nociones de color, cantidad, formas y figuras.

Materiales

- 28 tablitas de madera o MDF de 12 x 6 cm x 1 cm de espesor
- Placa o retazos de terciado o MDF de 3 mm de espesor
- Caladora
- Marcador indeleble
- Pinturas acrílicas color azul, rojo, amarillo y verde
- Pincel
- Cola de carpintero
- Barniz acrílico

1. Trasladar el diseño sobre las placas de madera, terciado o MDF (ver pág. 2). Calar las figuras y lijar las piezas, para que no queden bordes con astillas.
2. Pintar las formitas de un solo lado y por los costados. Usar un color diferente para cada figura.
3. Marcar la división en cada tablita con una línea transversal hecha con marcador.
4. Pegar las formitas en cada tablita. Proteger las fichas con barniz.

Tips

□ Este dominó se puede variar. El original tiene 28 fichas dobles, que ofrece todas las combinaciones entre el 0 y el 6 (0-0,0-1,0-2, etcétera, hasta el 6-6), pero se pueden hacer versiones reducidas, menos costosas. Eliminando el 0 (de 1 a 6), quedan 21 fichas. Si se quitan el 0 y el 6 (de 1 a 5), se obtienen 15 fichas.

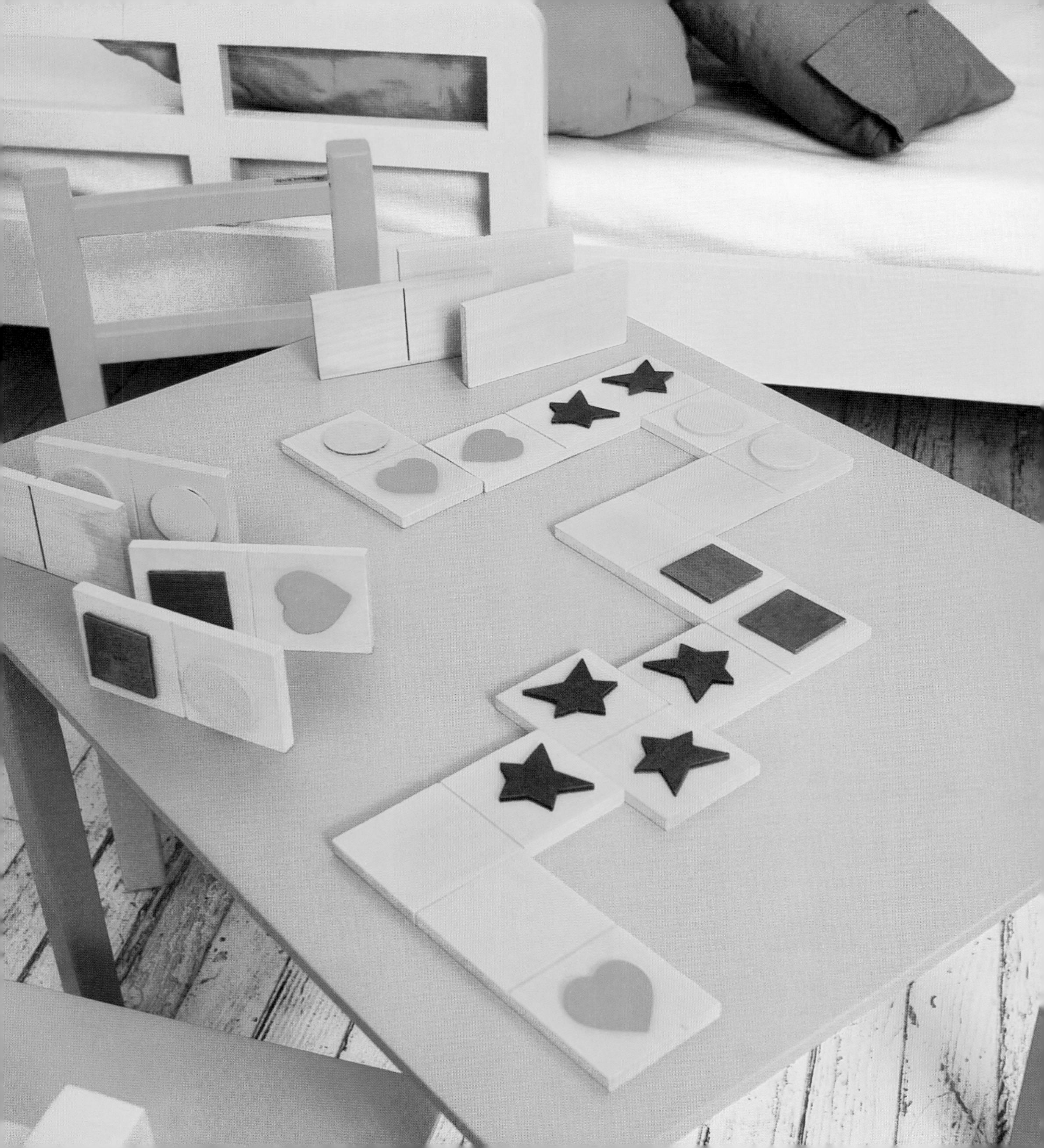

Aros para embocar

□ Permite desarrollar el equilibrio, la motricidad gruesa y el manejo del espacio.

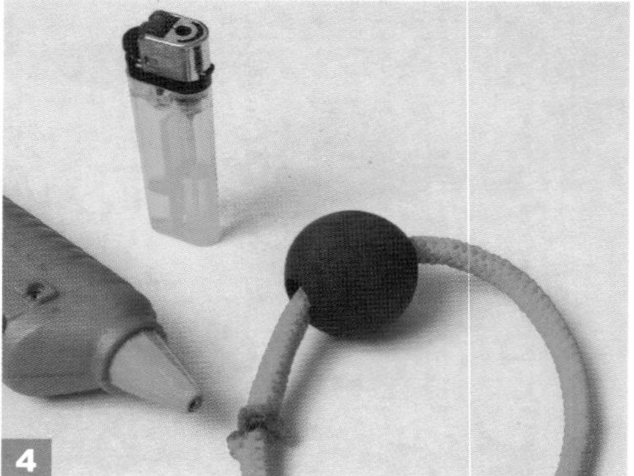

Materiales

- Rueda de pino de 9 cm de diámetro x 1,2 cm de espesor con una perforación central de 8 mm
- Varilla de 16 cm de largo y 8 mm de diámetro
- 4 bolitas de 35 mm de diámetro con agujero pasante de 8,5 mm
- 1 terminal para sombrero con agujero no pasante de 8,5 mm de diámetro
- Marcador indeleble
- 60 cm de soga de color de 10 mm
- 3 bolitas de 35 mm con agujero pasante de 12 mm
- Pinturas acrílicas color rojo, azul, amarillo y verde claro
- Cola de carpintero
- Pistola encoladora
- Pincel

1. Pintar la rueda con un color y tres de las bolitas de 35 mm con orificio de 8,5 mm y el sombrero con otros tonos.
2. Pegar la varilla a la rueda con cola.
3. Pintar la cara en una bolita con pincel liner o con macador indeleble de punta extra fina. Armar, encolar y pegar el sombrerito en la punta.
4. Cortar tres tramos de soga de 20 cm. Pasar una bolita por cada tramo. Quemar las 2 puntas de la soga y unirlas; quedarán pegadas por efecto del calor que antes las derritió. Reforzar la unión con la pistola encoladora.

Tips

□ En lugar de soga, usar argollas de madera.
□ Si se hacen distintas caras, con expresiones variadas, acertar en cada muñeco otorga diferentes puntajes.

Mi primer trabajito

Corcho multiuso

□ Permite mostrar el fruto de la creatividad de los niños y compartir sus trabajos.
□ Sirve para que los niños más grandes organicen sus actividades.

Materiales
- Placa de MDF de 40 x 60 cm x 12 mm de espesor
- Bolita de 35 mm con agujero no pasante de 12 mm
- Placa de corcho de 30 x 50 cm
- Recorte de MDF de 9 mm de espesor
- Recorte de MDF de 18 mm de espesor
- Cola vinílica
- Caladora del abuelo
- Rodillo
- Pincel
- Pinturas acrílicas de color azul eléctrico, fucsia, amarillo, verde y negro
- 2 varillas de 5 cm de largo x 6 mm de diámetro
- Lija
- Taladro y mechas de 6 y 12 mm
- Varilla de 22 mm de diámetro (palo de escoba)
- Tarugo de 12 mm de diámetro

Tips
□ El corcho se reemplaza con:
□ Metal, para usar con imanes.
□ Melamina, para marcador al agua.
□ Pintura para pizarrón, para escribir con tizas.

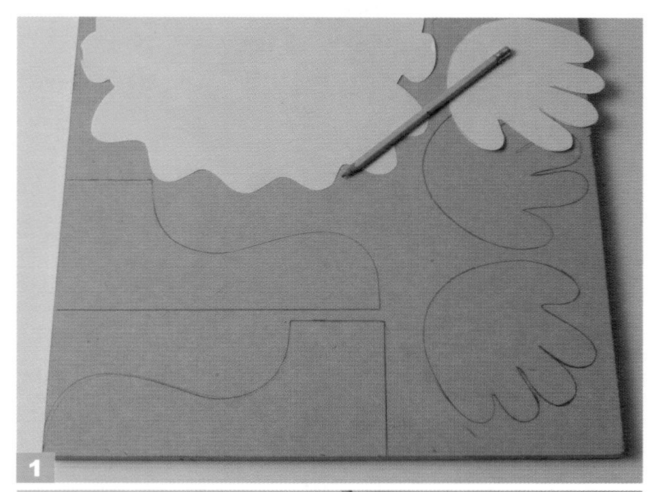
1

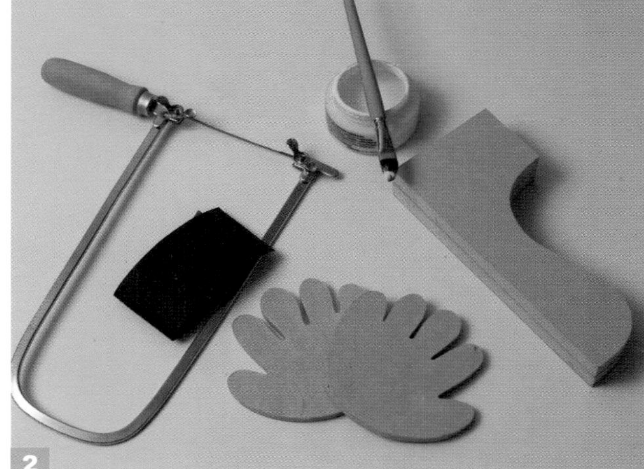
2

1. Trasladar los diseños sobre las planchas de MDF. Sobre la placa de 9 mm hacer dos manos –una derecha y una izquierda– y la cabeza. Proceder del mismo modo para hacer plantillas de cuatro pies, dos derechos y dos izquierdos, sobre la de 18 mm.
2. Calar todas las piezas y lijar, para que no queden bordes ásperos. Pegar los zapatos.

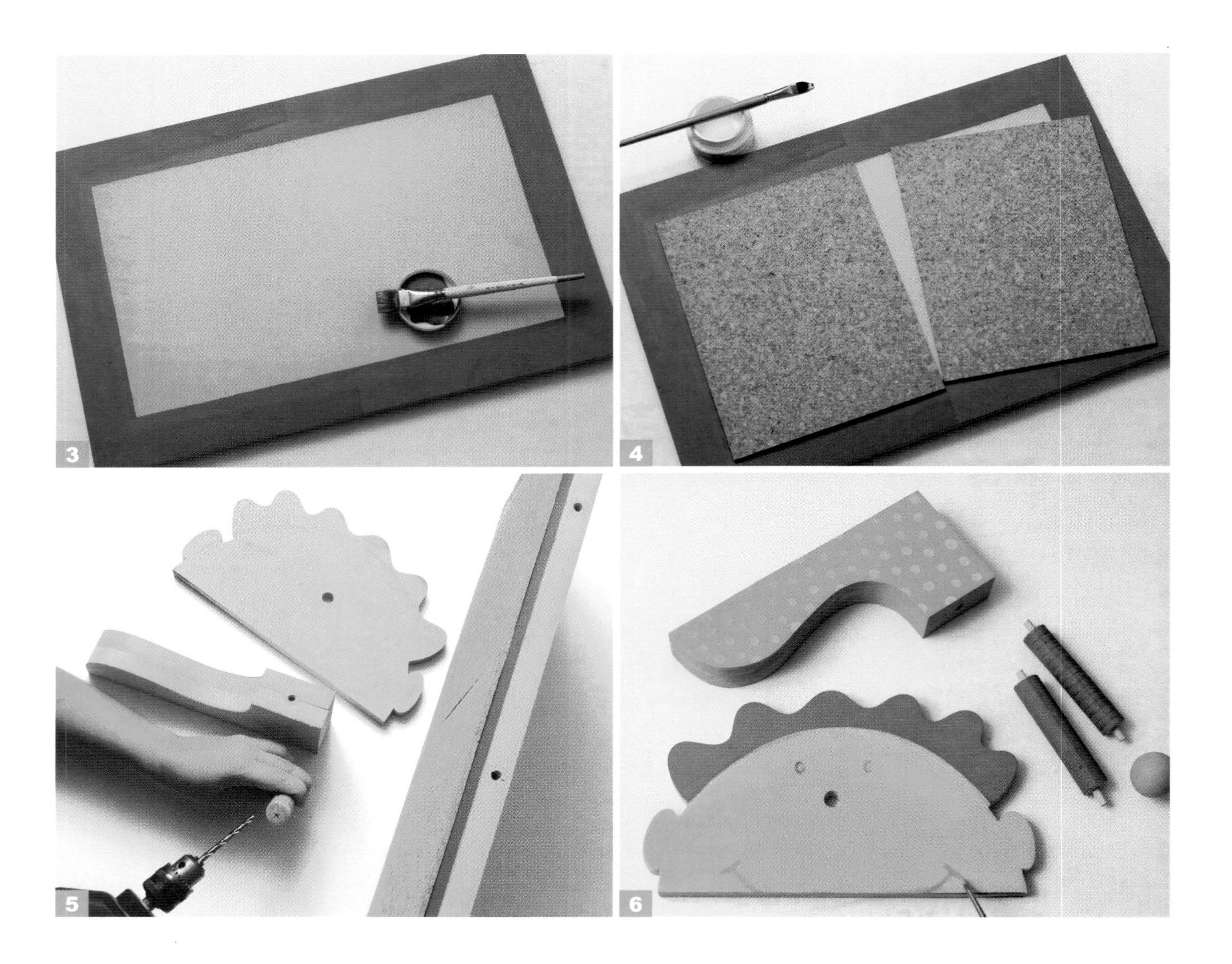

3. Hacer sobre la placa de 12 mm un recuadro a 7 cm del borde. Pintar con acrílico azul. No es necesario cubrir todo el MDF, porque en el centro se ubicará el corcho.

4. Pegar el corcho con cola.

5. Hacer dos perforaciones de 6 mm en el canto inferior de la placa y uno en el centro del canto superior de cada zapato. Realizar un orificio de 6 mm en cada lado de los dos tramos de varillas que se usarán para las medias. Hacer un orificio no pasante (ver pág. 3) de 12 mm en el canto superior de la placa, para ubicar la cabeza.

6. Hacer tarugos con la varilla de 6 mm y pegarlos en los dos extremos de las medias y en la nariz. Utilizar el de 12 mm para la cabeza. Pintar la botita de fucsia y amarillo, la cabeza con amarillo y verde, la nariz de fucsia, las medias a rayas verdes y azules, la media sonrisa fucsia y los ojos negros.

Tips

□ Es primordial utilizar los grosores de MDF indicados, para que la plancha de corcho tenga la suficiente estabilidad.

7. Pegar las manos pintadas de verde sobre el corcho, la cabeza sobre el canto superior y la nariz en el centro de la cara, todo con cola.

8. Encolar y encastrar las medias en las patas y en el canto inferior de la placa. Si el corcho se va a parar, las patas se pegan a 45º. En cambio, si se va a colgar, se pegan paralelas a la pizarra y se pone un gancho por detrás, para colgarlo.

Estrellas sonoras

□ Estimula
la vista,
el tacto y el
oído del bebé.

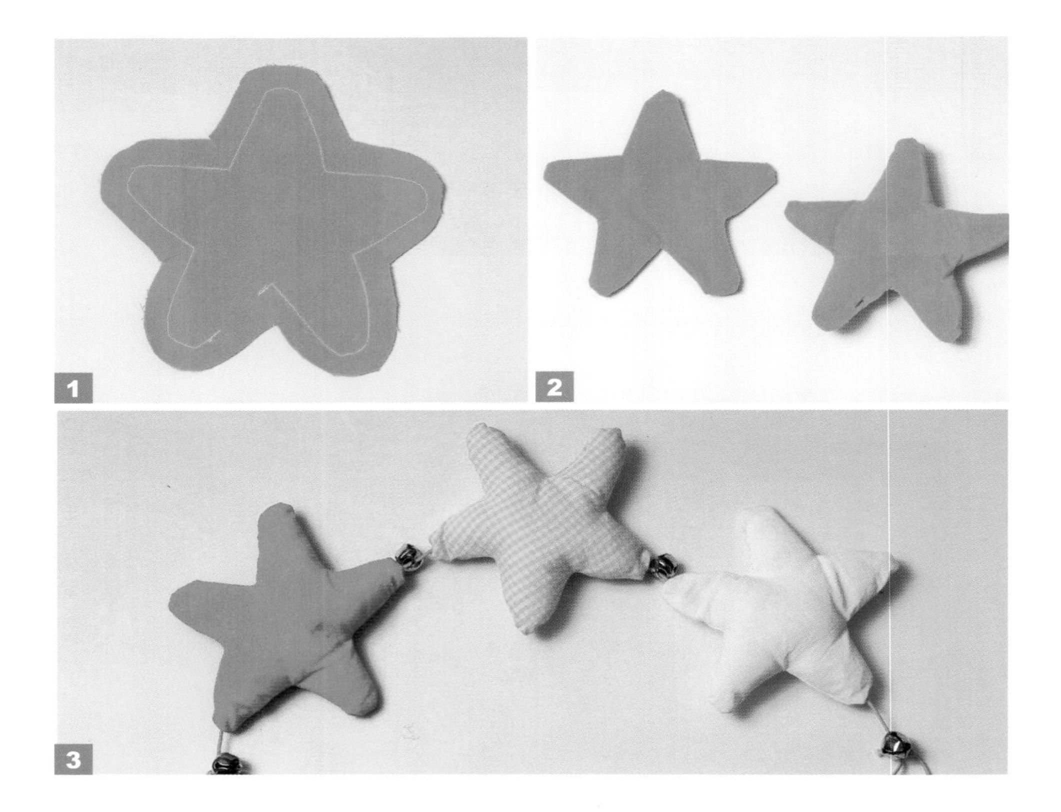

Materiales

- Retazos de 3 telas de diferentes estampados, en blanco y diferentes tonos de rojo y rosa
- 4 cascabeles
- Vellón
- Elástico

1. Cortar la tela doble con forma de estrella y coser los contornos, siguiendo la silueta. Dejar una pequeña abertura para dar vuelta. Es fundamental cortar picos en las uniones, para que no haga frunces.
2. Rellenar la estrella con vellón y dar forma a todas las puntas. Coser la abertura a mano, con pequeñas puntadas. Repetir la operación y hacer otras estrellas, con otras telas.
3. Con una aguja para coser lana enhebrar el elástico y pasarlo por el interior de las estrellas. Intercalar los cascabeles a ambos lados de ellas.

Tips

□ Estos móviles son ideales para aprovechar retazos.
□ En lugar de estrellas, hacer: lunas y soles; círculos, cuadrados y triángulos.

A la pesca

□ Estimula la motricidad y el reconocimiento de formas y colores.
□ Puede inducir a la suma y a la resta.

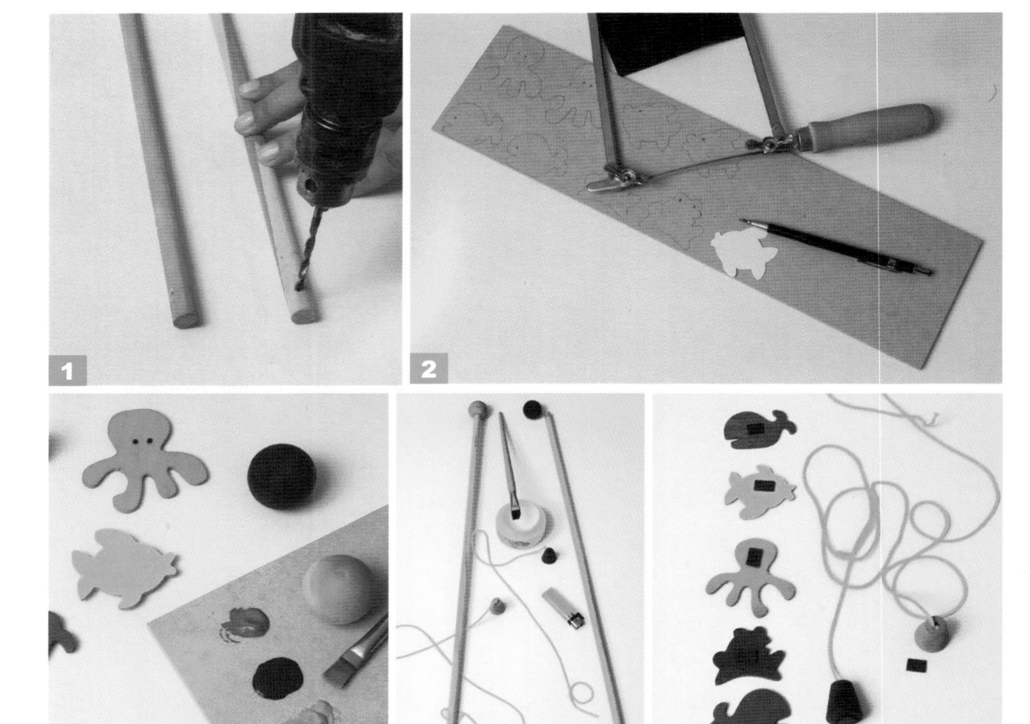

Materiales

- 1 m de varilla de 12 mm de diámetro
- 2 bolitas de 35 mm de diámetro con agujero no pasante de 12 mm
- 2 conitos de 23 mm de diámetro superior con agujero de 6 mm pasante
- 1,5 m de cordón de color
- Recortes de MDF o madera terciada de 3 mm de espesor
- Imanes
- Chinches
- Caladora
- Taladro y mecha de 6 mm
- Lija
- Pintura acrílica de varios colores
- Pincel
- Encendedor o fósforos

1. Cortar la varilla en dos tramos de 50 cm. Hacer una perforación pasante (ver pág. 3) de 6 mm de diámetro en uno de los extremos.
2. Trasladar los diseños (ver pág. 3) de los peces a las plaquetas de MDF. Calar y lijar cada pieza.
3. Pintar las figuras y las cuatro bolitas con distintos tonos.
4. Colocar las bolitas de 35 mm ya encoladas en los extremos no agujereados de las varillas, que hacen las veces de cañas. Pasar el cordón por el otro extremo de la varilla a través del agujerito. Realizar un nudo y quemar la punta. Pasar el otro extremo del cordón a través del conito. Anudar.
5. Pegar trocitos de imán en la parte inferior de los conitos y en el centro de cada pez.

Tips

□ Al juego de pesca también se lo puede completar con una pecera, como opcional de compra.

Subibaja con muñequitos

□Juguete de encastre que aporta nociones de formas, colores y movimiento.
□Estimula la motricidad fina.

1

2

3

4

Materiales

- Tabla de 25 x 6 cm x 1 cm de espesor
- Cilindro de 35 mm de diámetro x 6 cm de largo
- 4 medias esferas de 45 mm con una perforación pasante de 10 mm
- 2 bolitas de 35 mm con perforación de 10 mm
- Sierra
- Lija
- 2 terminales de barral de cortina
- Varilla de 50 cm de largo y 8 mm de diámetro
- 2 abalorios o bolitas de 20 mm
- Pincel
- Taladro y mecha de 8 mm
- Pintura acrílica de varios colores
- Pistola encoladora
- Marcador de trazo fino

1. Lijar la tabla hasta eliminar los ángulos vivos (ver pág. 3). Hacer dos perforaciones no pasantes (ver pág. 3) centradas de 8 mm, a 3,5 cm de cada extremo. En el medio de la tabla realizar un tercer orificio.
2. Cortar dos tramos de varilla de 10 cm cada y otro de 5 cm de largo. Rebanar en parte el cilindro, a lo largo.
3. Pintar caras con el marcador en las bolitas, las medias esferas de diversos colores y los bonetes hechos con los terminales de barrales de cortina de rojo. Armar el subibaja.
4. Pegar el cilindro en la parte inferior de la tabla y las dos varillas largas en los orificios de los extremos. Ubicar el tramo más corto en el centro con las bolitas encoladas, a modo de terminación. Colocar las medias esferas y armar.

Tips

□ Este tipo de juguete debe usarse con supervisión de un mayor, para evitar que el niño se meta en la boca alguna de las piezas del subibaja.

¡Arre, elefante!

□ El animal elegido reemplaza al clásico caballito y favorece la práctica de ejercicios.

Materiales

- Tela de color turquesa, verde y violeta
- Tela cuadrillé verde y violeta
- Vellón
- Elástico
- Guata
- Retazo de tela negra
- Disco de gomaespuma de 30 cm de diámetro
- Cinta de gros
- Varilla de pino de 22 mm de diámetro x 1.20 m de largo

Tips

□ Perforar con un cuchillo la goma espuma e introducir el palo. Pegar con pegamento universal. Dejar secar y luego ajusar el elástico.

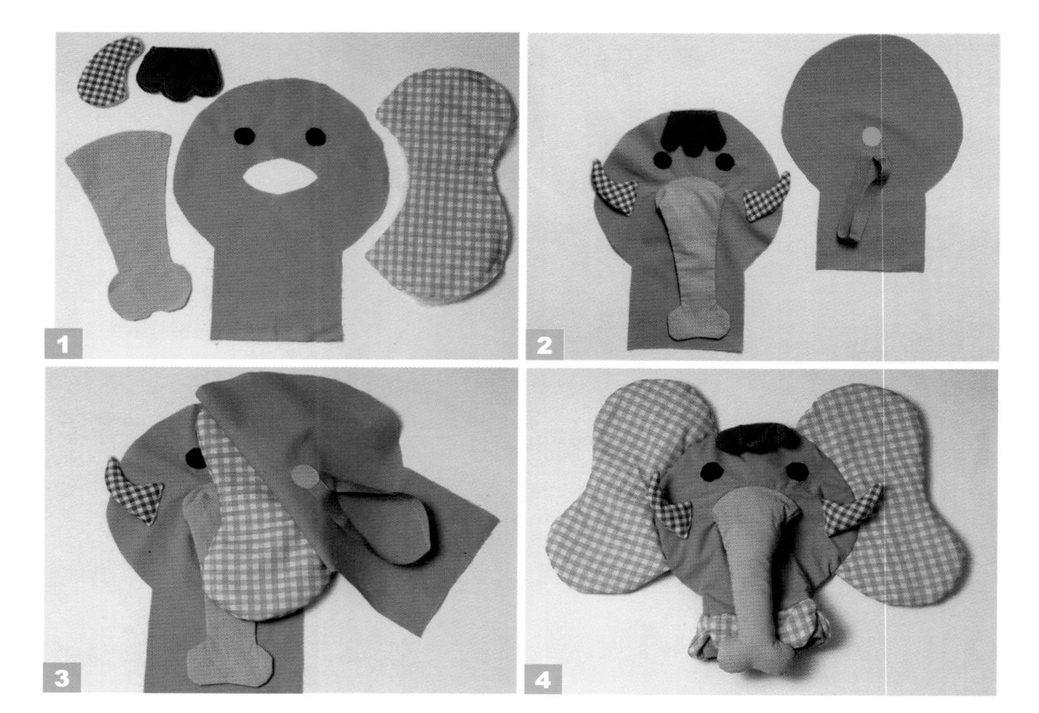

1. Cortar en tela doble cabeza, trompa, orejas, pelo y colmillos, dejando un borde de 0,5 cm. Contornear la trompa y dejar el borde superior abierto. Bordar los ojos y hacer un orificio en el medio, del diámetro del borde de la trompa. Sujetar las otras piezas a la guata y cortar. Coser las orejas y dejar abiertos sus lados internos. Coser el pelo, dejando el borde recto abierto y los comillos, dejando la base ancha sin coser. Dar vuelta.
2. Pespuntear los colmillos y el pelo a la cabeza del lado abierto. Doblar los bordes hacia adentro. Ubicar la trompa en el orificio y coser con los lados del revés hacia afuera. Doblar la cinta de gros y poner los extremos debajo de un círculo. Coser el contorno a la parte trasera de la cabeza y reforzar con una pasada.
3. Enfrentar los derechos y colocar las orejas hacia adentro. Superponer la parte trasera de la cabeza y ribetear el contorno del revés. Evitar los pliegues y tomar las telas, menos el borde inferior. Dar vuelta.
4. Rellenar la trompa con vellón. Cortar una tira de tela doble más guata de 50 cm y hacer ondas en su lado inferior. Ribetear el contorno dejando el borde superior abierto. Hacer cortes en las uniones y dar vuelta. Doblar el cuello al medio enfrentando los derechos e intercalar la tira con su borde abierto hacia adentro, haciendo algunos pliegues. Introducir el disco de goma espuma. Coser del revés. Estirar y realizar un pequeño doblez en el extremo inferior del cuello, coser y dejar un lugar para pasar el elástico.

Prono con soga

□ Estimula la motricidad fina.
□ Brinda nociones de cantidad, color y espacio.

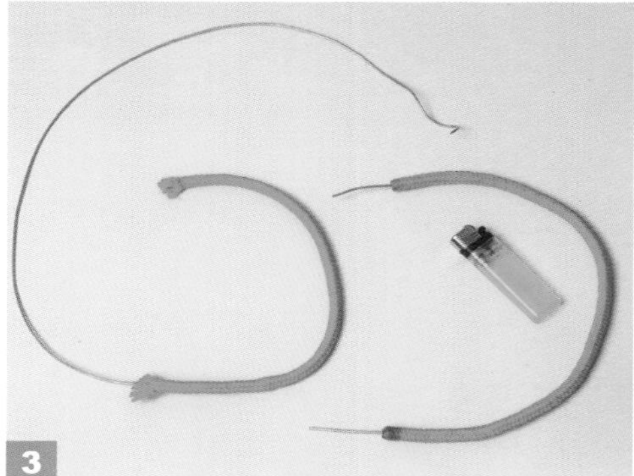

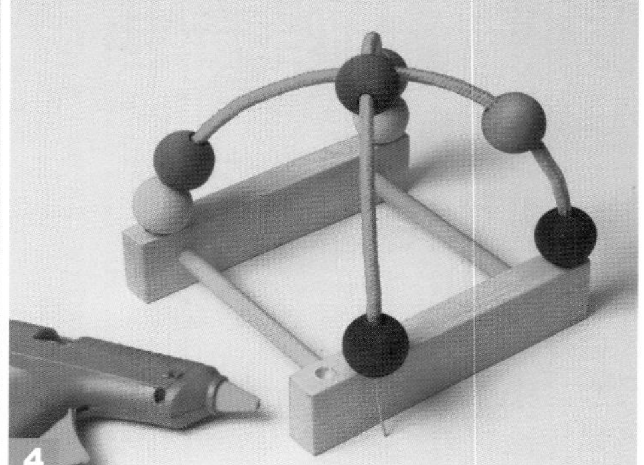

Materiales

- 2 listones de pino de 20 x 6 x 2 cm
- 2 varillas de 10 mm de diámetro y 20 cm de largo
- 1 tramo de soga de 10 mm de diámetro y 30 cm de largo
- 1 tramo de soga de 10 mm de diámetro y 25 cm de largo
- Alambre
- 8 bolitas de madera de 35 mm de diámetro y un agujero 15 mm de diámetro
- Pistola encoladora
- Taladro y mecha de 10 mm
- Pinturas acrílicas color rojo, azul, amarillo y verde
- Pincel
- Lija

1. Lijar los listones, para que no queden ángulos vivos (ver pág. 3). Con el taladro realizar dos perforaciones de 1 cm en el canto de cada listón, a 2 cm del borde. Hacer 2 perforaciones de 1 cm en los laterales de cada listón, a 2 cm del borde. Poner los listones en paralelo, encolar las varillas y colocarlas.
2. Pintar las bolitas de diferentes colores.
3. Insertar el alambre dentro de las sogas.
4. Encolar un extremo de la soga dentro de una de las perforaciones. Colocar las pelotitas y encolar el otro extremo de la soga en la perforación opuesta. Repetir con la otra soga.

Tips

□ Si se dispone de una caladora, se pueden insertar figuras temáticas. Por ejemplo, aplicar soles y lunas a los costados y enhebrar estrellas en las sogas.

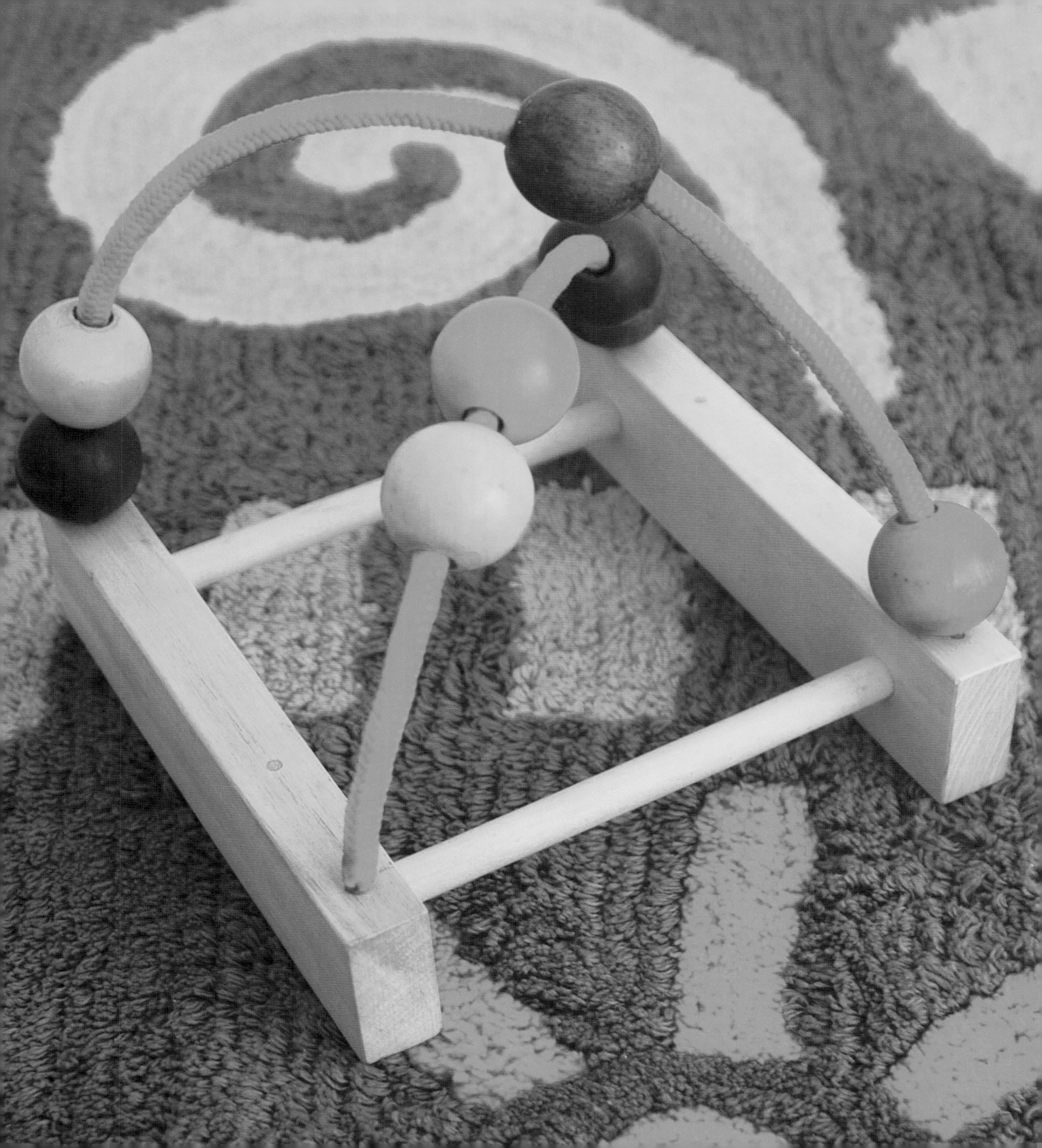

Pato cunero

□ Estimula la motricidad, el tacto y la vista del bebé.

Materiales

- Towel amarillo y naranja
- Guata
- Cascabeles
- Elástico
- Abrojo
- Cinta de gros
- Peluche
- Papel espejado
- Cartón
- Cinta al bies
- Tela negra

Tips

□ El adorno cunero se ofrece solo o en conjunto con un sonajero. Se trata de un pato más pequeño con cascabeles, que puede guardarse en el bolsillo del pato cunero.

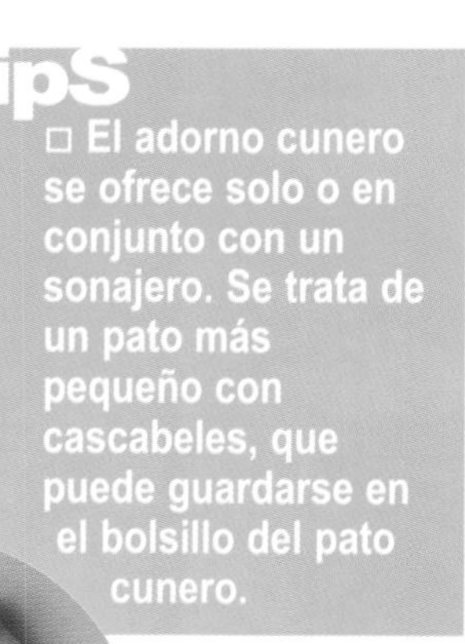

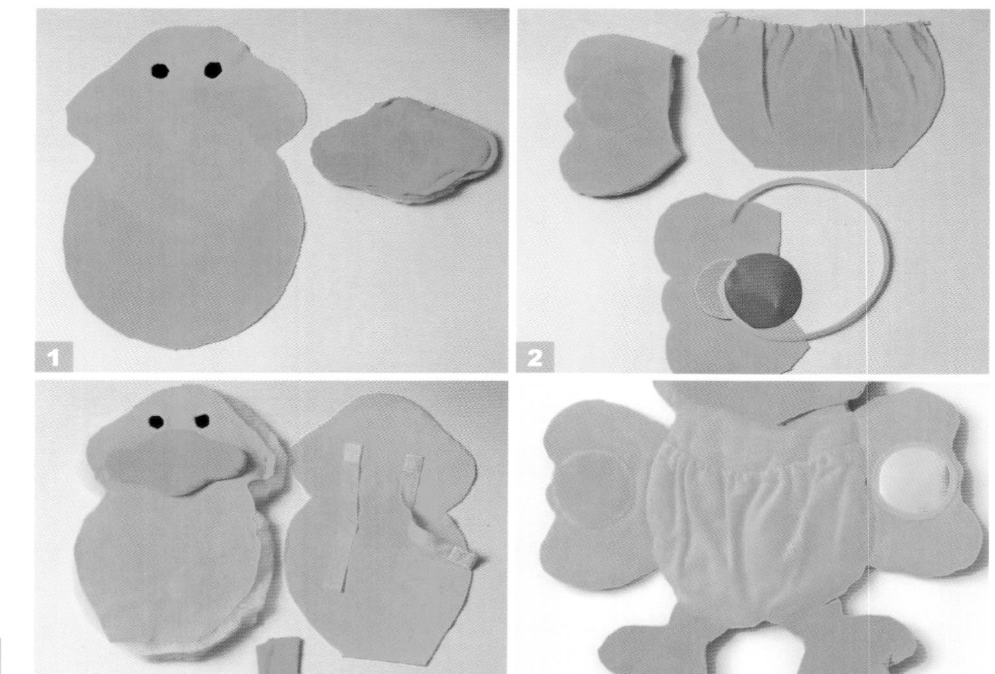

1. **Cuerpo**. Encimar la guata y dos partes de towel amarillo. Marcar por el revés y cortar, dejando 1 cm de más en los costados. Bordar los ojos a máquina. **Pico**. Cortar el towel naranja doble con la guata. Coser por el contorno y dejar una abertura para dar vuelta.

2. **Alas**. Cortar la guata y el towel amarillo doble. Cortar un círculo de peluche y uno de papel espejado, del mismo tamaño. Tomar una delantera y ribetear el círculo de peluche. Coser en la otra delantera el círculo de papel espejado por el bies. Para que no se aje, poner entre éste y la tela un círculo más pequeño de cartón. **Bolsillo**. Hacer un doblés en el borde recto y coser. Pasar el elástico y fruncir.

3. En la parte trasera coser dos tiras de cinta de gros por el extremo superior. Poner el abrojo en la parte superior de la cinta del derecho y por debajo del lado contrario. Pespuntear la parte superior del pico. Sujetar el bolsillo y las alas. Encimar la otra parte del cuerpo. Coser por el contorno y dejar una abertura en la base. Cortar picos en las curvas, para evitar frunces. Llevar por la abertura hacia el lado derecho. **Patas**. Cortarlas con tela doble, enfrentar los derechos y coser por el contorno. Dar vuelta hacia el derecho, rellenar con guata e introducir un cascabel en cada una.

4. Ubicar las patas y pespuntear.

Una mariposa musical

□ Estimula el oído e introduce en la educación musical.

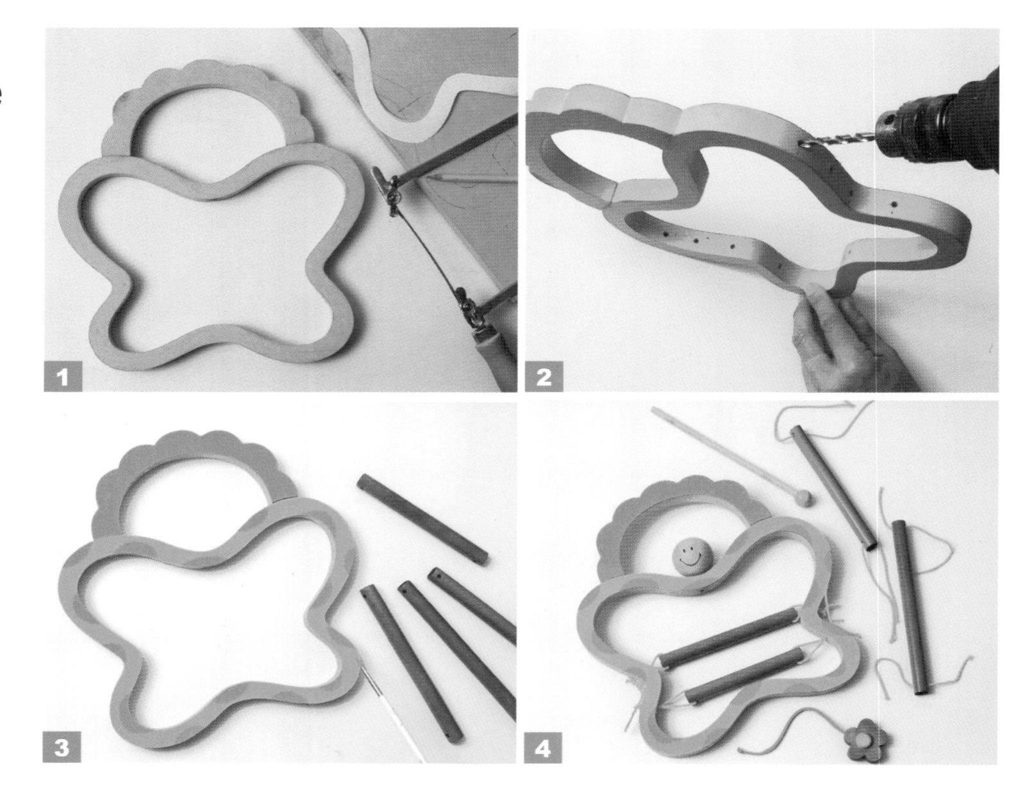

Materiales

- 4 cañitos de metal de 15 mm de diámetro
- Tabla de MDF de 15 mm de espesor
- Cordón
- Caladora o sierra
- Pintura acrílica color amarillo y rojo claro
- Esmalte para muebles de hierro rojo claro
- Rodillo
- Marcador de trazo fino
- Cola de carpintero
- Pincel
- Barniz
- Fósforos o encendedor
- Taladro y mecha de 4 mm
- Lija
- 15 cm de varilla de 8 mm
- 1 bolita de 23 mm de diámetro y otra de 10 mm, con agujeros no pasantes de 8 mm de diámetro
- Tarugo de 8 mm de diámetro x 5 cm de largo

1. Trasladar el diseño de la mariposa sobre la tabla (ver pág. 3) y calar (ver pág. 2).
2. Realizar ocho perforaciones pasantes de 4 mm donde se ubicarán los caños y otros dos orificios, uno en la parte inferior, para la flor y otra en la superior, para la cabeza.
3. Pintar la base con rodillo y decorar la silueta usando el pincel. Barnizar. Usar el esmalte para los tubitos.
4. Decorar la cabecita con marcador y unir al cuerpo con el tarugo encolado. Pasar el cordón a través de las perforaciones y luego por los orificios de la madera. Anudar y quemar las puntas, para reforzar la unión. Tomar la varilla que se usa para tocar y encolar la bolita de 10 mm en la punta. Ubicar la flor en la parte inferior de la mariposa.

Tips

□ Para las siluetas no conviene usar restos de madera, porque quedarían desprolijas. Se recomienda usar trozos de madera completos.

Juego de bowling

□ Estimula la motricidad gruesa.
□ Desarrolla nociones de suma, números, colores y figuras geométricas.

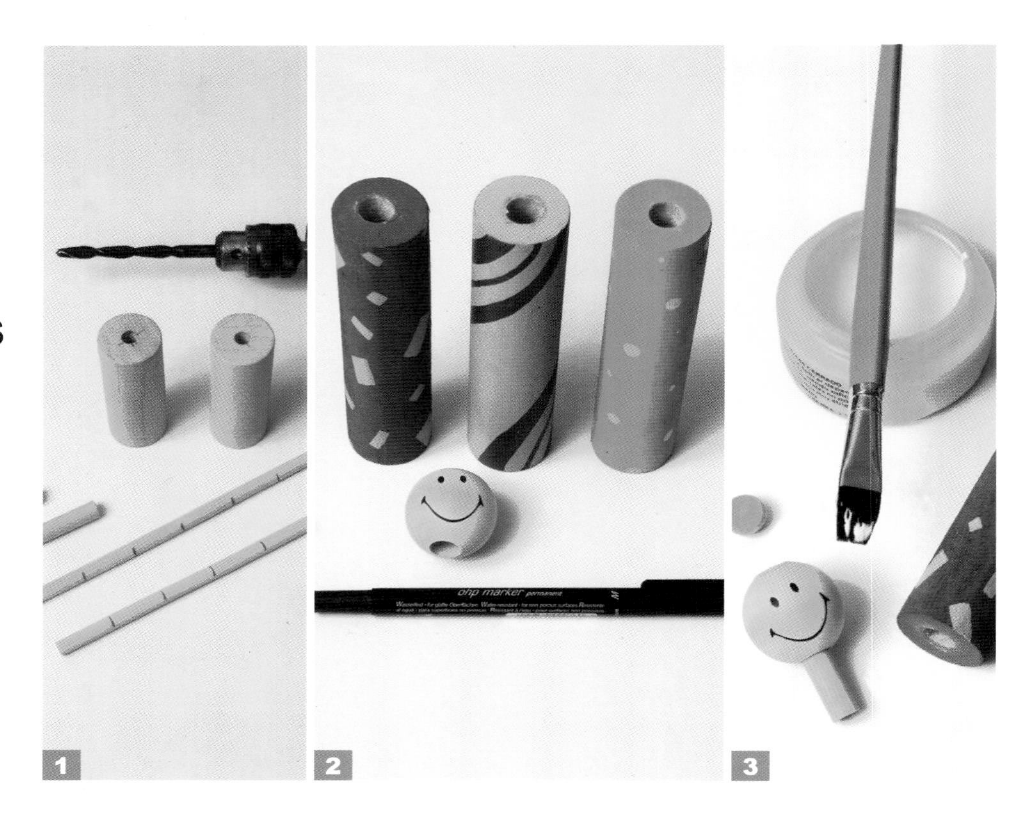

Materiales

- 9 cilindros de 3,5 cm de diámetro y 9 cm de alto
- 9 bolitas de 3,5 cm de diámetro con agujero pasante de 12 mm
- 9 tapatornillos de 12 mm
- Varilla de 50 cm de largo y 12 mm de diámetro
- Pinturas acrílicas
- Pincel
- Marcador indeleble negro de punta fina
- Sierra
- Cola de carpintero
- 1 pelota de goma o tela

1. Perforar los cilindros en sentido vertical, hasta alcanzar una profundidad de 1,5 cm. Aparte, cortar nueve tramos de varilla de 3 cm cada uno para hacer taruguitos.
2. Pintar y decorar los cilindros y las caritas. Para los primeros usar acrílicos de diversos colores y para las bolitas, el marcador indeleble.
3. Encolar los taruguitos y los orificios del cilindro y las bolitas. Colocar el tarugo en la bolita y luego todo en el cilindro. Encolar y colocar los tapatornillos en las partes superiores de las bolitas, a modo de sombrero. Completar el juego con una pelota de goma o tela.

Tips

□ Pueden incluirse nociones de sumas (adjudicándoles puntajes a los bolos), números, colores o figuras geométricas, según la decoración que se les aplique.

Carpa de indio

☐ Estimula la vida y la actividad al aire libre.
☐ Incentiva el juego grupal.

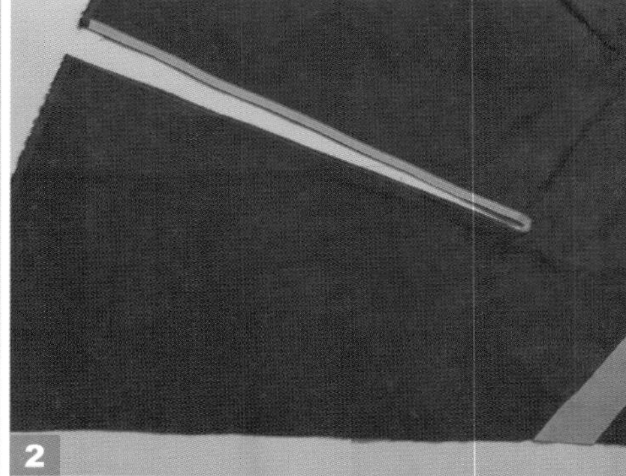

Materiales
- Tela violeta, naranja y turquesa
- Cuerina amarilla y roja

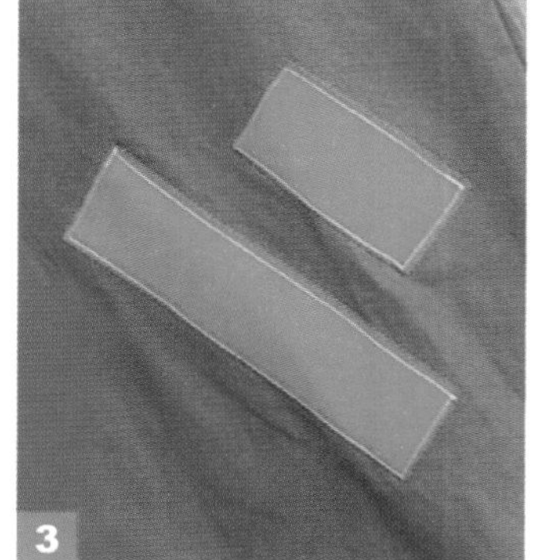

Tips

☐ **La carpa se arma con varillas de madera que se colocan en los bolsillos realizados a tal fin. Arriba se sostiene con un nudo hecho con una cinta roja.**

1. Cortar cuatro gajos de 1 m de ancho en la base y 14 cm de ancho en la parte superior con una altura de 1,50 m. Cortar tiras de tela turquesa y naranja. Coserlas formando un triángulo.

2. En el lado delantero de la carpa hacer un corte vertical de 65 cm de alto. En el lado interno del corte coser una tira al bies. Llevar el bies hacia el derecho y pespuntear. Cortar un triángulo de cuerina amarilla y coserlo por encima de la abertura.

3. Cortar dos tiras de cuerina roja de 20 x 5 cm y dos de 10 x 5 cm. Coserlas en diagonal a ambos lados de la abertura de entrada intercalando los dos tamaños. Unir los gajos entre sí haciendo coincidir las tiras que forman la guarda con costura francesa. Enfrentar revés con revés, coser los dos laterales, dar vuelta y coser nuevamente.

4. Cortar cuatro tiras de 16 x 10 cm y hacer un dobladillo en los lados cortos, cuatro tiras de 25 x 10 cm y realizar el dobladillo sólo a uno de sus lados cortos. Las más chicas ubicarlas del revés de las uniones en su parte superior. Doblar los bordes laterales hacia adentro y coser. Coser las tiras grandes en la parte inferior a modo de bolsillo dejando la parte superior libre.

Pollito volador

□ Estimula la motricidad fina.
□ Brinda nociones de forma y color.

Materiales

- Placa de MDF de 6 mm de espesor
- Placa de MDF de 3 mm de espesor
- Caladora
- Bolita de 23 mm de diámetro con agujero pasante de 6 mm de diámetro
- Hilo, cordón o piolín
- Varilla de 10 cm de largo x 4 mm de diámetro
- Cola de carpintero
- Pintura
- Pincel
- Abalorios

1 2 3 4

1. Trasladar el diseño del cuerpo a la placa de 6 mm y cortar dos veces. Usar la placa de 3 mm para hacer dos patas, dos alas, un pico, un corazón y el copete. Calar cada parte.
2. Pintar las piezas. Hacer las alas blancas por el revés y con rayas en el frente.
3. Pegar abalorios en el frente de la parte inferior y hacer cuatro perforaciones simétricas en ambas partes. Realizar un agujero pasante en cada extremo de patitas y alitas.
4. Pegar un cordón en el centro de cada alita y cada pata (previamente perforadas). En las perforaciones del cuerpito inferior encolar los tramos de varilla de 4 mm, cortados de 5 cm. Poner cada alita y patita sobre los 4 taruguitos y sobre ellas colocar la parte superior del cuerpito. Pegar pico, corazón y copete sobre el frente. Anudar la bolita de 23 mm en el extremo del cordón.

Tips

□ Hay dos teorías respecto a los colores. Una recomienda usar tonos pastel para los bebés, pues los serenan. La otra asegura que los tonos vivos estimulan sus sentidos.

Mansión
Encantada
TEJADOS

Autos como los de antes

□ Estimula la motricidad fina y la gruesa.
□ Da nociones de espacialidad y creatividad.

Materiales

- Listón de pino de 50 x 10 cm de 5 cm de espesor
- 4 rodajas de 65 mm de diámetro
- Varilla de 6 mm de diámetro
- 1 bolita de 45 mm con agujero pasante de 6 mm de diámetro
- Lápiz negro y regla
- Caladora del abuelo
- Pistola encoladora
- Lija
- Placa de MDF de 6 mm de espesor
- Descartes de madera y MDF
- Rueditas
- Varillas de diferentes medidas
- Tapatornillos
- Bolitas
- Pinturas acrílicas color rojo, amarillo, verde limón y negro

Tips

□ Con recortes de madera triangulares se pueden fabricar rampas. Otra buena opción es pintar una placa de MDF simulando una pista de carreras.
□ Los autitos más pequeños son ideales para utilizar todo tipo de descartes de placas de madera, MDF, bolitas y varillas.

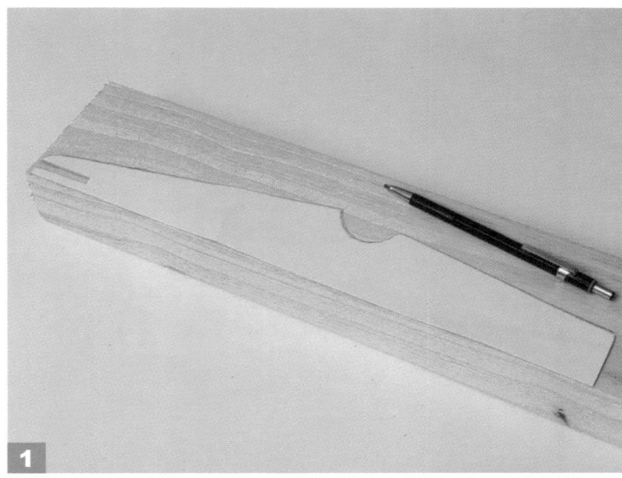
1

2

Auto modelo Fangio

1. Transferir el diseño (ver pág. 3) sobre el listón. Calar y lijar, para que la superficie quede bien lisa.
2. Realizar en las cuatro ruedas una perforación central de 6 mm de diámetro.

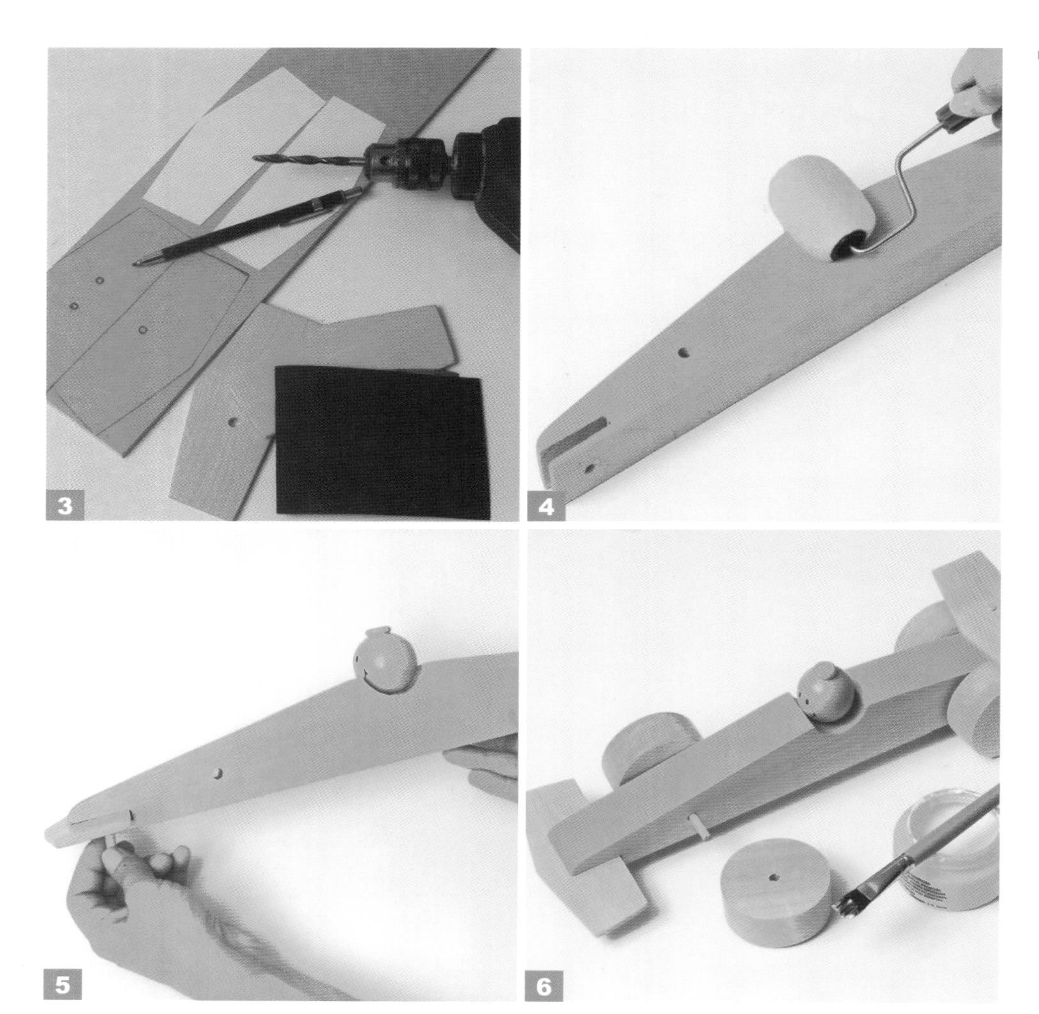

Tips

- Los autitos más pequeños sirven como souvenir para regalar a los clientes potenciales.
- Se recomienda armar sets combinando grandes y chicos, grandes y grandes, chicos y chicos, todos del mismo color o en diferentes tonos.
- Los sets de autos chicos quedan muy atractivos envueltos en redecillas.

3. Transferir el diseño de los alerones delantero y trasero sobre la placa de MDF. Calar y hacer las perforaciones marcadas. Lijar.

4. Hacer dos perforaciones de 6 mm sobre el canto del auto a 1,5 cm del borde, para ubicar el alerón trasero. Para las ruedas, hacer una perforación pasante a 4 cm de la parte trasera y a 9 cm de la delantera. Es aconsejable dejar 1 cm desde la parte inferior del auto, para que el cuerpo no toque el piso. Hacer otra perforación de 6 mm sobre el lado inferior que atraviese la ranura y traspase en 0,5 cm el cuerpo superior. Pintar el cuerpo principal. Barnizar los alerones y las ruedas.

5. Pegar los tarugos (hechos con varillas) del alerón trasero y la cabeza previamente pintada. Insertar el alerón trasero en los tarugos y el alerón delantero en su ranura. Fijar con un taruguito encolado.

6. Cortar dos tramos de varilla de 7 cm de largo. Encolar las varillas a una rueda, insertar el eje en el orificio correspondiente y encolar la otra rueda al extremo libre.

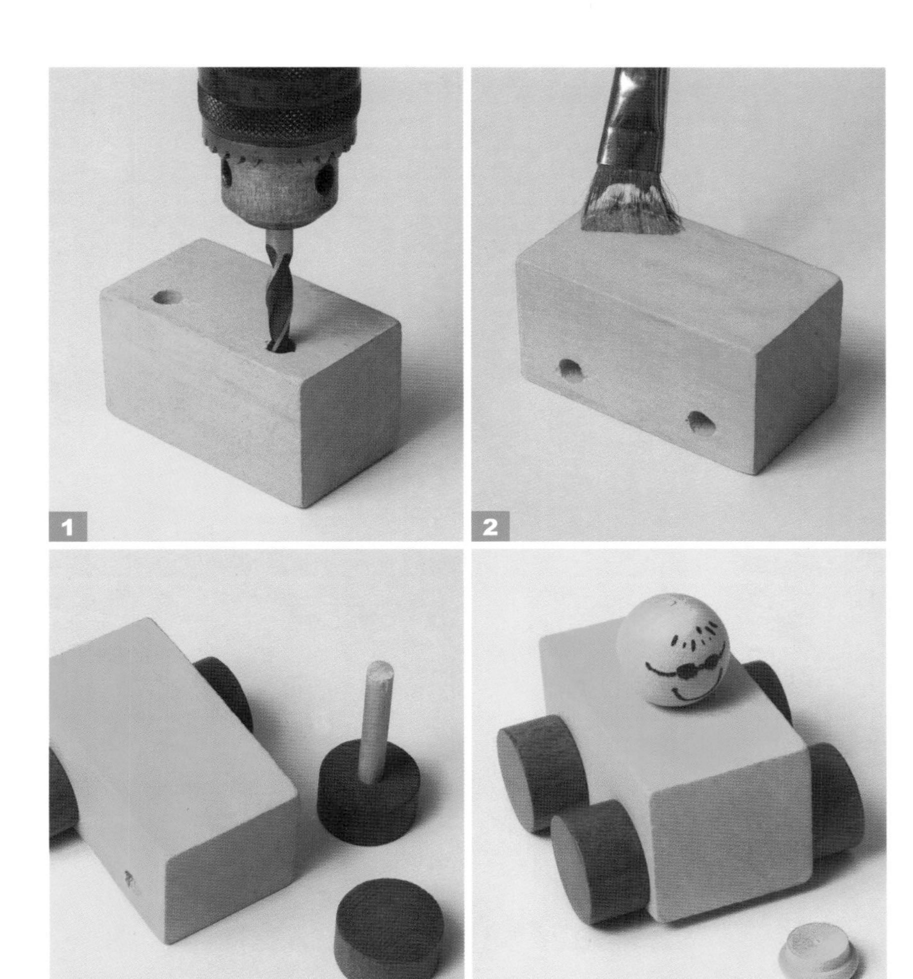

Autos Mini

1. Hacer dos perforaciones pasantes en un rectángulo de madera o MDF.
2. Lijar y pintar con acrílicos.
3. Tomar cuatro rueditas, hacerles una perforación de 6 mm de diámetro y pintarlas. Pasar tramitos de varilla encolada para formar un eje. Encolar y pegar las rueditas en sus extremos.
4. Pegar una cabecita decorada con marcador indeleble negro y un tapatornillo en el frente.

TipS

Siguiendo las indicaciones de los autos explicados paso por paso, se pueden hacer diferentes modelos.

Casi una biblioteca

□ Todo espacio de organización ayuda a los niños a adquirir hábitos de orden y clasificación.

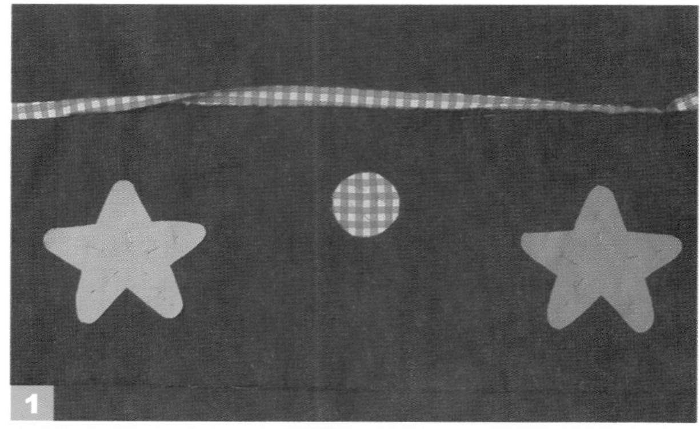

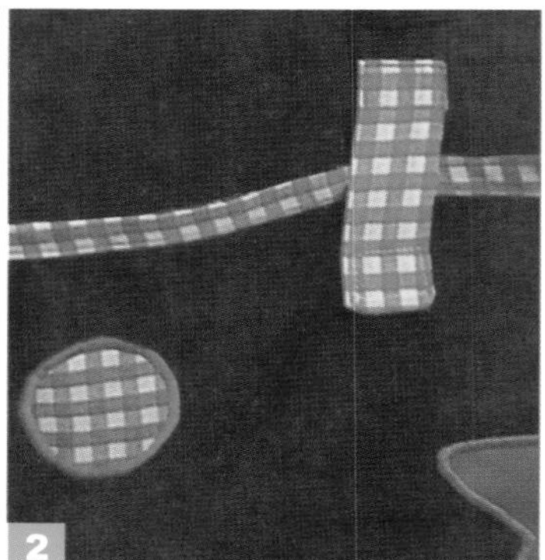

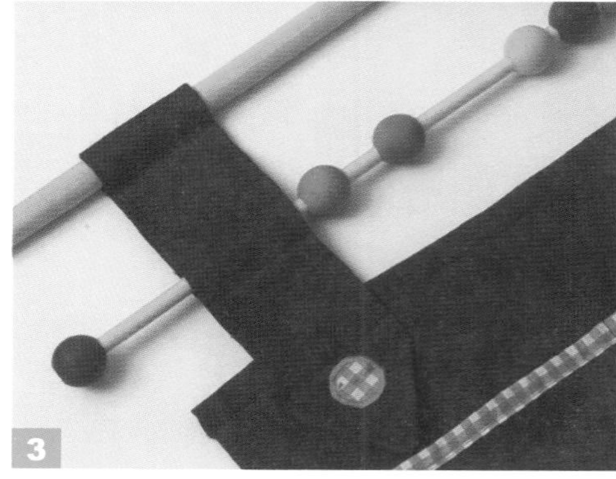

Materiales

- Tela de jean azul oscuro
- Retazos de diferentes telas
- Fiselina
- Abrojo
- Varilla de 22 cm de diámetro (palo de escoba)
- Varilla de 9 mm de diámetro
- Bolitas de 35 mm de diámetro con agujeros pasantes de 12 mm de diámetro
- Pintura acrílica color verde, rojo y azul

1. Cortar un rectángulo de 70 x 76 cm de jean para la base. Dobladillar los bordes laterales e inferior. Cortar dos bolsillos de 65 x 25 cm, reforzar el revés de cada uno con fiselina y aplicar con un bordado hecho a máquina. Cortar una tira de tela estampada del largo de cada bolsillo. Coser la tira desde el revés, volcarla hacia el derecho con un doblez y pespuntear. Cortar y aplicar dos estrellas y un círculo.

2. Ubicar el bolsillo inferior y pespuntear los bordes. Cortar dos tiras dobles de cuadrillé, coserlas y dar vuelta. Unir el extremo superior a la base de jean y colocar un abrojo en el inferior. Aplicar el otro abrojo en el bolsillo. Bordar los apliques.

3. Terminar el borde superior con un doblez de 2 cm. Cortar dos tiras dobles de jean de 60 x 10 cm y enfrentar los derechos. Coser los bordes verticales y un borde horizontal en punta. Dar vuelta y pespuntear. Doblar a la mitad y coserlo al rectángulo por ambos lados. Realizar tres costuras horizontales en cada tira. Dejar 2 cm entre las costuras para dejar pasar la varilla y 4 cm entre un par y otro.

4. Pasar la varilla gruesa, de la cual se lo colgará, y luego la fina, con las bolitas pintadas, que hace las veces de ábaco.

Blancanieves y
Pintando
¿Por qué no duermes

Enhebrado de transportes

□ Incentiva la motricidad fina.
□ Aporta nociones de forma y color.
□ Brinda idea de adentro afuera.

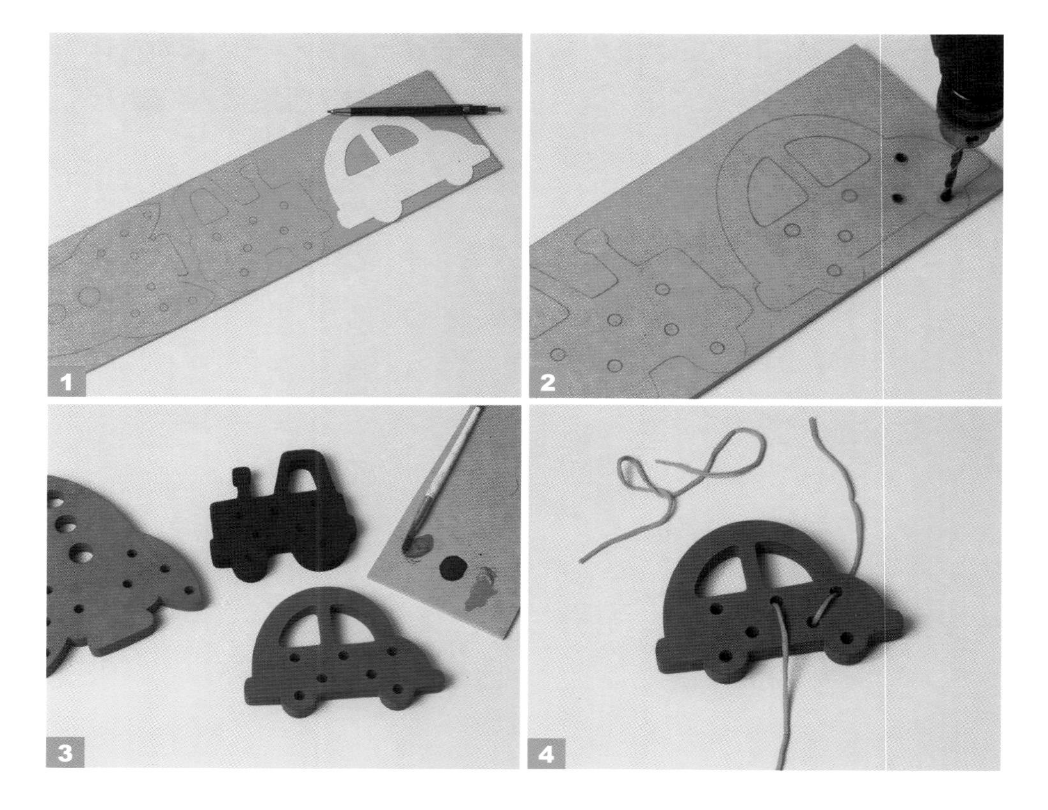

Materiales

- 3 recortes de MDF de 18 mm de espesor
- Papel y lápiz negro
- Taladro y mecha de 10 mm de diámetro
- Cordones de zapatillas de hasta 20 cm
- Caladora del abuelo
- Pinturas acrílicas color azul, rojo y verde claro
- Pincel o rodillo de gomaespuma
- Lija

1. Trasladar el diseño (ver pág. 3) de las siluetas y de los orificios de cada modelo en las placas de MDF.
2. Hacer perforaciones pasantes con el taladro. Calar por los contornos de las siluetas. Lijar bien para que no queden cantos vivos (ver pág. 3).
3. Pintar con los acrílicos. Se puede hacer directamente o dar primero una mano de blanco.
4. Pasar los cordones de colores contrastantes por los orificios.

Tips

□ **Los cordones no pueden tener más de 20 cm, para evitar que los niños los lleven a la boca y se ahoguen.**

cheeky

Manta de actividades

□ Estimula la vista, el tacto y el oído del bebé.
□ Incentiva la motricidad fina.

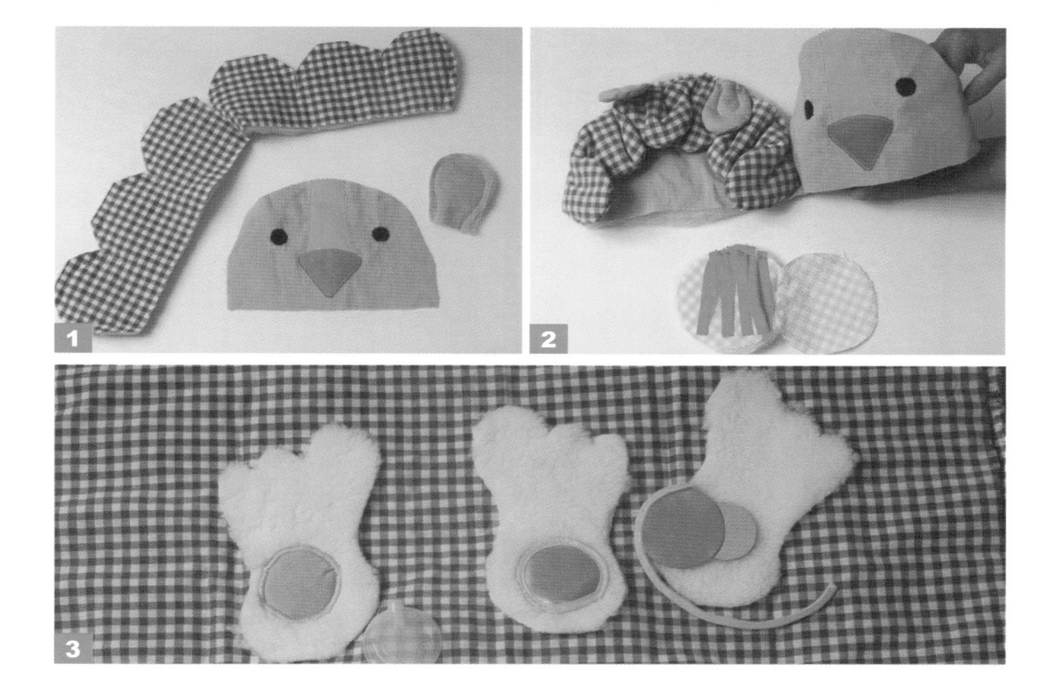

Materiales

- Tela cuadrillé verde
- Tela lisa verde y amarilla
- Tela cuadrillé amarilla
- Corderito blanco
- Retazo de tela negra
- Cuerina roja y amarilla
- Argolla de madera
- Aplique sonoro (por compresión manual)
- Cinta al bies
- Guata
- Cascabel
- Cinta de falletina roja
- Cinta de gros verde y roja
- Papel espejado
- Trozo de cartón
- Abrojo

1. Cortar sobre la tela verde lisa doble más la guata, las orejas, un semicírculo para la cabeza y una tira de 64 x 12 cm cuadrillé doble y guata con ondas para la melena. Tomar una de las telas de la cabeza y bordar dos círculos negros para los ojos. Cortar la nariz en cuerina amarilla y roja y pespuntear. Ribetear el contorno de las orejas y las ondas de la melena, dejando los lados inferiores abiertos para dar vuelta. Pespuntear las orejas del derecho.

2. Cabeza. Sobre la parte de atrás de la cabeza con la guata, ubicar primero las orejas y luego la melena, haciendo algunos pliegues, hacia adentro. Superponer la cara con el derecho hacia adentro. Coser el contorno y dejar el lado recto abierto. **Cola**. Cortar un círculo de cuadrillé amarillo doble con guata para la cola. Intercalar entre las dos telas seis cintas de falletina de 10 cm cada una, que sobresalgan de uno de los bordes. Ribetear el contorno, dejando una pequeña abertura del lado opuesto al que se cosieron las cintas.

3. Manta. Cortar un rectángulo de 62 x 72 cm del cuadrillé verde doble más la guata. **Patas**. Cortar dos patas de corderito simple, una derecha y una izquierda. Cortar un círculo de tela verde, otro igual en papel espejado y uno de cartón con el diámetro 0,5 cm menor. Bordar el círculo de tela de la pata izquierda. En la pata derecha coser el círculo de papel espejado con la cinta al bies, intercalando el cartón entre el papel y el corderito. Unir las patas al rectángulo delantero en el centro del borde inferior con puntada zigzag, hecha a máquina. Intercalar el aplique sonoro entre el corderito y la tela de la pata izquierda.

4. Poner la cabeza y la cola del derecho. Sujetar la cabeza, con la cara hacia adentro y encarando la tela delantera de la manta junto con la guata, de modo tal que el borde recto coincida con el borde superior de la manta. **Manija**. Cortar una tira de 50 x 5 cm. Doblar por la mitad y coser el borde abierto, dejando los laterales libres. Ubicar los extremos de la tira a ambos lados de la cabeza. **Cola**. Introducir un cascabel y un extremo de la cinta de gros verde de 20 cm de longitud por la abertura. Pespuntear para cerrar. Sujetar el otro extremo a uno de los laterales de la manta. Encimar la tela correspondiente a la cara posterior de la manta y coser dejando una abertura en el lado inferior.

5. Colocar la manta del derecho y cerrar la abertura. **Patas delanteras**. Cortar en tela doble más la guata. Ribetear el contorno de una de las patas y dejar el lado recto abierto. Dar vuelta y coser un abrojo del lado de abajo y otro en la manta, de modo que coincidan. Cortar 30 cm de cinta de gros roja, enhebrar la argolla y doblar por la mitad. Intercalar la cinta de gros entre las dos telas de la pata, para que los extremos coincidan con el borde de los dedos. Coser el contorno y dar vuelta. Pespuntear el borde libre de las patas a la manta, ubicándolas a ambos lados de la cabeza y a 2 cm del borde superior de la manta. Realizar un pespunte en todo el contorno de la manta, a 2 cm del borde. Hacer un segundo pespunte de forma rectangular de 5 cm en el centro de la manta.

6. Cortar dos tiras dobles de 23 x 4 cm y coser, dejando un lateral abierto. Dar vuelta y unirlas a la parte posterior de la manta, a cada lado de la cabeza y a 5 cm del borde superior, en posición horizontal. Cerrar los extremos abiertos y coser abrojos en los bordes. Doblar los laterales del rectángulo hacia adentro, de modo que se toquen los bordes y luego doblar la mitad inferior sobre la superior. Coser abrojos en la cara anterior del bolso, haciéndolos coincidir con los abrojos de las tiras ya mencionadas. Coser otro abrojo en la melena del león y otro en la cara anterior del bolso, para poder cerrarlo.

JUGUETES

Hacer algo por y para los niños siempre es gratificante. Y si se trata de juguetes, la satisfacción es aún mayor. En ese sentido, la madera y el género son materiales nobles y dúctiles. En este suplemento le brindamos información específica sobre el valor del juego y los juguetes, más una serie de herramientas concretas que le permitirán encarar un desarrollo personal o profesional en forma independiente.

Un negocio que es un juego de niños

La fabricación artesanal de juguetes ha renacido en los últimos años. No sólo representa la recuperación de un valor del pasado, sino también la oportunidad de encarar una actividad rentable.

Gracias al desarrollo y divulgación de muchas de las manualidades que se cultivan en la actualidad, los microemprendimientos se han convertido en una alternativa posible. Pero también es cierto que el mercado a veces se satura de artesanos que venden sus productos y/o enseñan su métier. Por eso, una de las claves para que la empresa sea exitosa y rinda sus frutos radica en que lo producido sea realmente original y distinto.

En ese sentido, los juguetes de madera y de tela son un clásico antiquísimo que había quedado en el pasado. Contra todos los pronósticos, discreta y silenciosamente han reaparecido y están ganándose un lugar en el mercado infantil. Pero como se trata de un producto estrictamente artesanal, los proveedores aún son escasos y eso convierte a esta actividad en una oportunidad.

Más allá de que uno pueda aprenderla, desarrollarla y progresar en ella, la fabricación de juguetes es la artesanía ideal para quienes ya trabajan la madera y/o dominan la costura; para aquellos que han pasado por talleres o fábricas de juguetes, y para quienes tienen carpintería.

LOS PRIMEROS PASOS

Los tiempos cambian y hoy no alcanza sólo con dominar la técnica aplicada. Además hay que sumar nociones sólidas de cómo crear una pequeña empresa. No se trata de los aspectos legales y contables, que también son importantes. En realidad, una de las llaves del éxito está en lo que hoy se llama gestión o gerenciamiento, es decir, en cómo se lleva a cabo el emprendimiento. Una de las características que definen a este tipo de empresa es que uno es el propio jefe, para bien y para mal. Lo cierto es que así como hay gente que nació para decidir y dirigir, hay otras personas que necesitan ser dirigidas. Por lo tanto, una de las primeras preguntas que uno debe hacerse es: ¿estoy en condiciones de ponerme a la cabeza de un negocio o voy a necesitar asociarme con alguien que comparta los riesgos (y los beneficios) de la fábrica artesanal de juguetes?

Pensarse como un empresario supone un trabajo personal y laboral. Es fundamental verse a uno como el gerente de la empresa. Esto se vuelve especialmente difícil para quien se considera un artesano, más acostumbrado a trabajar con las manos en forma artística que a administrar un lugar de trabajo, pero el rédito económico que se busca obliga a asumir funciones nuevas. Por eso, hay que ser honesto con uno mismo y realizar un autoanálisis profundo de las virtudes y defectos propios. Hay quienes saben fabricar objetos lindísimos, pero no venderlos. Otros, por el contrario lo que mejor hacen es convencer a los demás sobre las bondades de sus productos. Algunos son negados para la administración, mientras que otros necesitan el orden y la organización para funcionar de forma óptima.

También hay que redefinir la vida diaria, porque lo que hasta ahora era un hobby se transforma en un medio de vida, con todo lo que esto significa: horarios a cumplir, clientes a atender, una organización a mantener, etcétera.

Luego, es primordial definir qué es lo que uno va a hacer. ¿Voy a fabricar algo o voy a prestar un servicio? Claramente, la idea es fabricar y vender juguetes, de tela o de madera. Además, hay que establecer objetivos a corto, mediano y largo plazo. Los objetivos laborales no deberían superponerse con los personales (una mudanza, una boda, un hijo), porque es difícil contar con tantas energías para hacer todo y bien. Es preferible posponer el comienzo de la empresa y concentrarse en la etapa previa, la de los proyectos, para ponerlo en marcha en un momento menos comprometido en lo íntimo.

Hay un error en el que suelen caer los microemprendedores que están empezando: tienden a sobrevalorar los futuros ingresos y a subestimar los gastos. Para que esto no suceda, es fundamental hacer una correcta evaluación de los ítems que darán vida a la empresa.

MODAS, USOS Y TENDENCIAS

La elección de las telas y colores no es sólo una cuestión de modas o tendencias. Va más allá. Se trata de dar al público lo que requiere, de adelantarse a lo que vendrá y de sorprenderlo con novedades. Esto supone investigar, probar y testear entre los conocidos antes de poner los productos a la venta.

También es importante fijar como objetivos superarse a uno mismo, que la firma no sea previsible. Estar en condiciones de brindar nuevos y originales juguetes ayuda a mantener una clientela que compre de modo sostenido.

LOS CLIENTES

La clientela incluye a aquellos a los que les vamos a vender y, tácitamente, a la competencia. Es tan importante armar una cartera de clientes como conocer a fondo quiénes son los otros proveedores de un producto similar al de uno. En este rubro es vital la información teórica que brindan disciplinas como el marketing, así como los datos que nos dan la experiencia y la charla con los clientes. Estar al tanto de la actualidad de los competidores es la herramienta que nos permite diferenciarnos con productos nuevos, diferentes y originales.

La pregunta del millón es: ¿a quién le puedo vender? Etimológicamente, la palabra crisis quiere decir "oportunidad para el cambio". Pues bien, los momentos económicos más difíciles no dejan de ser promisorios si uno se las ingenia para buscar (y encontrar) los clientes.

La lista de clientes debe incluir a los tradicionales y a los alternativos:

■ **Jugueterías**. Son los clientes por excelencia. Lo que hay que tener en cuenta es que están acostumbrados a comprar en grandes cantidades. Quizás sea el lugar a contactar cuando el proyecto ya sea una realidad con cierto tiempo de desarrollo.

■ **Supermercados**. Cada vez es más frecuente que vendan todo tipo de artículos; entre ellos, juguetes. Pero sucede lo mismo que con las jugueterías, compran en cantidades que a veces resultan imposibles de satisfacer para quien recién comienza. Pero esto no impide que se abastezca a los mercados de la zona, de menor envergadura.

■ **Casas de ropa de bebés y niños**. Es una tendencia que ya se ha impuesto. Las firmas más prestigiosas venden los juguetes que usan como adornos en sus vidrieras. Inclusive se les puede ofrecer la fabricación de alguna línea propia y exclusiva, con su nombre o con los colores que identifican a la marca.

■ **Casas de regalos**. Hoy en día, esta clase de comercio vende todo tipo de mercadería, lo que incluye juguetes. Se les pueden ofrecer líneas completas y agregar artículos complementarios en madera, como portarretratos o lapiceros, que combinen con juguetes como el móvil de la página 36 o los bolos de la página 32.

■ **Escuelas, guarderías, jardines de infantes y jardines maternales.** No compran grandes cantidades de cada uno, sino uno o dos de una amplia variedad. A su vez, son los que más necesitan contar con juegos didácticos, que estimulen las diferentes capacidades de los niños. También se les pueden fabricar juguetes a pedido, siguiendo las sugerencias de las maestras.

Pero también hay otras clases de empresas para las que uno puede funcionar como proveedor y que demuestran que más allá de las crisis, siempre hay posibilidades. Éstos son sólo dos ejemplos:

■ Muchas empresas que despiden personal contratan talleres externos para seguir produciendo.
■ Los comercios a los que proveían las fábricas que cierran se quedan sin sus proveedores habituales.

Con respecto a la competencia, es un item a tener en cuenta antes de comenzar para definir los alcances y las características del producto que uno va a fabricar. Y se lo debe seguir de cerca permanentemente, porque es el que establece el nivel de los precios y también para no superponer productos. Si uno fabrica un determinado tipo de móvil y luego lo venden otras tres firmas, quizás haya llegado el momento de no hacerlo más o de probar con otros modelos, para seguir diferenciándose.

¿Cuál es la ventaja de diferenciarse? Si uno hace lo mismo que sus competidores, seguramente se armará una discreta clientela, pero siempre estará a la expectativa de que otro no ofrezca precios o condiciones de venta más ventajosas por los mismos productos. En cambio, si mis juguetes son únicos y exclusivos, las condiciones (y el precio) las impongo yo. Por lo menos, hasta que aparezca el primer competidor. Por otra parte, si uno es el único que fabrica determinado juguete, tendrá compradores seguros, pues aunque ellos tengan otros proveedores, sólo podrán obtener ese juguete recurriendo a nuestra empresa.

EL LUGAR DE TRABAJO

Es primordial contar con un taller amplio y confortable, con una cómoda mesa de trabajo y espacios de guardado, porque aunque los objetos sean pequeños, los géneros y las tablas de MDF o madera con las que se trabaja, suelen ocupar bastante espacio. Además, es imprescindible contar con un mínimo de herramientas que permitan poner manos a la obra.

■ **Madera y MDF.** Se necesitan una caladora (eléctrica o la llamada "del abuelo"), un taladro con mechas de diferentes medidas, pegamentos (cola de carpintero, adhesivo vinílico, cemento de contacto, adhesivo instantáneo), elementos de pintura (pinceles, pinturas acrílicas, látex), marcadores indelebles, lijas al agua.

■ **Tela.** Las piezas se pueden coser a mano, pero esto llevaría mucho tiempo. Es fundamental contar con una máquina de coser (en lo posible que realice diferentes puntadas y varios tipos de bordados) y dominar su uso. Además hacen falta géneros, guata, cuerina, peluche, papel espejado, hilos, agujas, alfileres, cintas, etcétera.

En referencia al lugar específico de trabajo, la elección de la mesa, la silla y la iluminación son puntos a los que se debe prestar gran atención.

Buena parte de la tarea se hace sentado, algo inclinado y fijando la vista. Por lo tanto, la mesa debe ser de medidas generosas, la silla debería ser ergonómica (de las que se venden en los negocios de muebles de oficina) y conviene contar con dos fuentes de iluminación: una general y otra puntual, dirigida al objeto que se está trabajando.

¿CALADORA O CARPINTERÍA?

Los que tienen práctica en el arte de calar madera o MDF le sacan una gran ventaja al resto de los artesanos. A algunos les resultará más difícil que a otros, pero en todos los casos es imprescindible saber manejar la madera, para evitar lesiones o desperdicio de material. Además, porque una de las claves para que una manualidad resulte rentable pasa por el dominio de la artesanía. Evidentemente, no obtendré la misma ganancia si fabricar un juego de bolos me lleva dos jornadas, cuando lo esperable es realizar varios juegos por día. Sino, será imposible pensar seriamente en la posibilidad de hacer de este métier un medio de vida.

Hay una posibilidad que saca de apuro, pero encarece el producto: mandar a cortar las piezas a una carpintería. Quizás es un recurso a tener en cuenta ante un pedido de envergadura, por la calidad y/o la cantidad. En ese caso, será el momento de pedir un descuento conveniente por la magnitud del encargo.

INVERSIÓN, CAPITAL Y PRECIO

Toda empresa supone una primera inversión, destinada a comprar los materiales necesarios para ponerse en marcha. Es común que muchos artesanos ya cuenten con buena parte de los elementos, pero si hay que adquirirlos, lo mejor será optar por los de óptima calidad. Una de las diferencias entre crear para uno y hacerlo en cantidad es que las herramientas se usan en mayor medida y, por consiguiente, se desgastan más rápido. Este gasto no se recuperará enseguida ni con el primer pedido, sino que se va amortizando con el tiempo. También habrá que comprar materiales.

Hay tres tipos de elementos a adquirir:

1

1. Herramientas: se adquieren una vez y se utilizan miles de veces; por ejemplo, la caladora del abuelo. Se reponen de tanto en tanto y en algunos casos hay que prever gastos por compra de repuestos o por tareas de mantenimiento.

2

2. Materiales: se compran según sea necesario. Si hacen falta varillas o bolitas, se compra la cantidad necesaria. Las que pudieran sobrar se usarán en otros juguetes.

3

3. Adhesivos y pinturas: sirven para muchos productos. Por ejemplo, un marcador indeleble o un acrílico se usan en decenas de juguetes.

Es fundamental tener en cuenta estos elementos porque ellos conforman, con la mano de obra, el precio del producto.

El precio está formado por el total de los materiales empleados, un porcentaje de amortización de la inversión inicial, un porcentaje de los materiales que se usan en parte (adhesivos, pinturas), más un recargo por el trabajo propiamente dicho y un porcentaje por los llamados costos fijos. Éstos son los de la estructura (alquiler, impuestos, servicios, cargas sociales). En general, es un ítem que un microemprendedor no debe tener en cuenta, porque suele encarar el negocio en su propia casa, por cuenta propia. El ítem de costos fijos hay que calcularlo cuando la miniempresa trasciende. Los especialistas sostienen que lo razonable es recargar el precio con un porcentaje que va del 30 al 50 por ciento, pero muchos directamente lo duplican. Por ejemplo, si el costo es de 10 pesos por juguete, con el recargo de mano de obra el precio final sería de entre 13 y 15 pesos si se opta por la primera sugerencia o de 20 si se prefiere la otra. Igualmente, siempre hay que estar al tanto de los precios que se están manejando en el mercado y prever que de acuerdo con las cantidades encargadas también convendría variar los márgenes de ganancia. Evidentemente, no es lo mismo venderle a una juguetería 20 autos de madera que 1 móvil a un particular.

En relación a la economía de la empresa, es fundamental hacer un constante acopio de sobrantes. Más de una vez le sucederá que podrá cumplir con un pedido aprovechando los restos de madera o tela de los juguetes que hizo en el último mes. Pero para ello es fundamental mantener bien ordenados los materiales. Conviene establecer algún tipo de categorización, para poder encontrar enseguida lo que se busca, sin necesidad de revolver todo en cada ocasión. Lo recomendable es mantener un orden estricto, para optimizar el tiempo de trabajo.

ORDEN Y ORGANIZACIÓN

Que una empresa se desarrolle normalmente suele ser consecuencia de una correcta y acertada organización. Esto no se circunscribe al papelerío legal y contable, sino que también se traslada al devenir de la actividad propiamente dicha.

■ Debe establecerse una rutina (con horarios incluidos), cumplirse y hacerla cumplir. Inclusive, si no hay pedidos, es buen momento para hacer stock o para recorrer jugueterías y ver cuáles son las tendencias en boga. No hay que olvidarse de Internet, que permite actualizarse permanentemente y estar al tanto de las novedades que se suceden en la materia en el mundo entero.

■ Es recomendable realizar todo el tramiterío legal y contable lo antes posible, para poder ofrecer a los clientes ventas formales.

■ El orden y la organización también deben trasladarse a la mesa de trabajo, así como al archivo de papelería y guardado de materiales.

Calendario

Si bien los juguetes se venden durante todo el año, hay varias épocas durante las cuales las ventas siempre se incrementan. En cualquier país, las fechas a tener en cuenta son:

■ 6 de enero: Día de Reyes

■ Marzo – abril: Pascuas

■ Día del niño: varía en cada país

■ 24/25 de diciembre: Navidad

VENTAS, SOCIOS Y CORREDORES

La venta es la razón de ser del negocio. Pero para algunos artesanos es una auténtica complicación. Los entendidos sostienen que el dueño es quien mejor comunica acerca de sus productos. Los primeros pasos a seguir son:

1. Hacer un listado de clientes potenciales (mailing).
2. Armar un muestrario (libro tipo catálogo con fotos y algunos en mano: los más pequeños y los más livianos).
3. Concertar entrevistas para mostrar los juguetes y los adornos.
4. No estaría de más hacer autitos como los de la página 41 para dejar de regalo a modo de souvenir entre los posibles clientes.

Una vez que se formó una mínima clientela, hay que armar un circuito de entregas, articulado con los tiempos de la producción. Al principio esto supone una organización férrea que permita cumplir con todo, pero en la medida en que se van aceitando los procesos, todo sale con fluidez. Igualmente, no está de más, cada tanto, rever el orden interno y, si fuera necesario, hacer los cambios que la realidad va imponiendo.

Pero, a más de uno, encarar el tema de la venta lo aterra de sólo pensarlo.

Una de las opciones para solucionar este tema es la contratación de un corredor. Pero como los juguetes involucran dos manualidades distintas (artesanías en madera y costura) es muy posible que uno se asocie con el que hace la otra parte. En ese caso, lo mejor es buscar que ese socio nos complemente. Por definición, desde el punto de vista económico, el socio hace un equis aporte para entrar en la sociedad. Puede ser una cartera de clientes y/o capital y/o técnica. Aquí lo ideal sería que el otro haga uno de los tipos de juguetes y sepa salir a vender.

Sea quien fuere el que desarrolle la relación con los clientes, es fundamental "entrenar" el oído para estar atento a las sugerencias de los compradores. No quiere decir que uno vaya a cumplir exactamente con lo que piden, pero son los que transmiten el parecer de los consumidores. Y es el punto de vista que más debiera interesarnos: el del público.

PROMOCIÓN Y PRESENTACIÓN

Los microemprendedores suelen cometer un error que se paga con menos ventas: hacen promoción al principio, pero descuidan este aspecto una vez que se armaron una cartera de clientes.

Y la realidad indica que nadie tiene el futuro asegurado. Siempre hay que buscar nuevos compradores. Seguramente en los comienzos uno le dedique mucho tiempo a contar qué es lo que está inaugurando, pero después habrá que ir comunicando las novedades.

El boca a boca siempre funciona. Además, cuando se tiene todo listo, se recomienda hacer una pequeña muestra con todos los juguetes fabricados, para que nuestros allegados vean qué es lo que estamos haciendo y puedan difundirlo. Pero además de la promoción directa (volantes, avisos) hay otra que es mucho más sutil, pero no por eso menos efectiva. En la actualidad, en muchos casos el packaging hace la diferencia. Entre dos juguetes similares, el embalaje puede decidir la compra por uno u otro. Todo tipo de caja o bolsa decorativa (que no incremente mayormente el precio) es un detalle que puede ayudar a diferenciarse de la competencia. A esto debe conviene sumarle algún tipo de tarjeta, que del reverso tenga el teléfono de nuestra empresa. El frente se puede reservar para diversos usos. Por ejemplo:

- Incluir un pequeño texto con el valor didáctico del juguete (estimula la motricidad fina, etcétera) y la edad para la que se sugiere (+ de 9 meses, + de 2 años).
- Poner un poema alusivo al juguete (ver ideas).
- Hacer una tarjeta con espacios en blanco para dedicárselo al destinatario: Para ..... de ....

La gran ventaja que tienen los juguetes es que se trata de objetos lindos para fabricar, con destinatarios hermosos, para hacer la mejor de las actividades: jugar. Algo tan primario y elemental y que lamentablemente los adultos dejamos de lado a medida que pasan los años. Quizás estos juguetes, que se parecen a los de nuestra infancia, nos sirvan para armar la empresa que siempre soñamos y para recuperar la felicidad de los días pasados.

Prono con soga
Muchas bolitas llenas
de colores
parece que quietas no
quieren estar.
Mi manito es su amiga
y las lleva a pasear
de un lado hacia el
otro, de aquí para allá
y la soga alegremente
hace de tobogán.

Subibaja con muñequitos
Si un amigo
está muy alto
otro el piso tocará.
Subibaja de colores
para armar y
desarmar.

Enhebrado de transportes
Paso el cordón de un
lado hacia el otro
desde afuera hacia
adentro.
Embocando en cada
hoyito
mientras juego yo
aprendo.
Y cuando mis zapatos
tenga que atar
muy sencillito
para mí será.

Pollito volador
Cuando jalo su colita
él me muestra
sus alitas.
El pollito pío pío
siempre baila
y sólo es mío.

Con caritas de animales
De paseo por la selva,
un leoncito encontré.
Había cerquita un tigre
y una cebra había
también.
Un monito alocado hizo
mucho alboroto
todos juntos se
mezclaron y rodaron
por ahí.
Y yo a cada uno llevé a
su casita a dormir.

A la pesca
Muchos pececitos
nadan sin parar
tranquilo y sin apuro
yo los tengo que pescar.
Mi mano se queda
quieta y en el centro
hay que apoyar
una caña muy coqueta
que los quiere atrapar.

Acerca de los juguetes

Entender de qué se trata el objeto a fabricar, cuál es su mejor uso y destino y cuáles las características que lo convierten en un artículo de calidad son detalles que ayudan a conformar una empresa seria y sólida.

La forma natural de aprender de un niño es a través del juego, porque para él jugar y aprender no son dos actividades opuestas.

El uso de juguetes de encastre y construcción, los rompecabezas, los juegos de mesa, el enhebrado de diversos objetos y aprender a combinar colores, texturas y formas son actividades que lo ayudan a desarrollar habilidades que más tarde le permitirán aprender a leer, escribir, sumar y restar.

Los juguetes son imprescindibles en el desarrollo inicial del niño, por ejemplo, porque lo ayudan a desarrollar sus afectos. Gracias a ellos van tomando conciencia de nociones básicas como distancia, espacio, cuerpo, espesor, presencia, ausencia, adentro/afuera, alto/bajo, grande/pequeño. Pero también cumplen un rol importantísimo cuando les permiten expresar sus temores. Un niño que juega al médico y consuela a sus "pacientes" (= muñecos), sublima sus miedos y comienza a dominarlos.

DESARROLLO AFECTIVO Y CREATIVO

Los especialistas sostienen que cuanto más sencillo es un juguete, más posibilidades creativas le brinda al niño, ya que le puede dar el lugar de distintos personajes: una muñeca podrá ser la madre, la hermana, la amiga, la maestra o alguna otra persona con la que se relacione diariamente y con la que pueda desarrollar imaginativamente sus conflictos diarios. El mayor valor de un juguete está en la posibilidad de jugar con él y no en lo que trae de fábrica. Por eso es que los juguetes artesanales, hechos a la vieja usanza, han recobrado vigencia.

En la actualidad, muchos juguetes juegan solos y el niño se limita a mirar: muñecos que hablan, aviones que vuelan, osos que bailan, a los que sólo hay que observar y escuchar. Esto exige una renovación constante, porque el chico pronto se aburre del chiche nuevo. En cambio, los juguetes tradicionales son los que tienen en su esencia una mayor maleabilidad. Son los únicos que incentivan y promueven en los chicos una relación afectiva, con una participación activa. Si una nena aprende a cuidar a una muñeca en particular, está aprendiendo a cuidar y cuidarse.

LA ELECCIÓN DE LOS JUGUETES

No existe el juguete ideal, pero se sabe que cuanto menos sofisticado y más elemental es un juguete, más estimulante resulta para el niño. Si se observa el diseño de los juguetes ofrecidos en este libro, se verá que es sumamente sencillo. En general, invitan al niño a jugar (solo o en grupo), a mover las manos o el cuerpo, o a pensar cuál es la mejor alternativa. Son lindos, pero no meramente decorativos. Para un adulto, los autos son casi un adorno, pero a un chico le dan ganas de hacerlos rodar y jugar carreras entre ellos. Un juguete bien diseñado estimula a la criatura a explorar y descubrir otras cosas, y a adquirir nuevas habilidades.

EDAD POR EDAD

■ Los bebés necesitan juguetes que estimulen sus sentidos. Deben exhibir amplia variedad de colores, texturas, materiales y formas interesantes y diferentes. Los juguetes que al moverlos hacen ruido, le dan al bebé la sensación de ejercer el control y estimulan el desarrollo de la capacidad de manipulación y coordinación. Ejemplos: Pollito volador (pág. 36), Estrellas sonoras (pág. 18) y Pato cunero (pág. 28).

■ Cuando empieza a gatear y caminar el bebé se divierte poniendo y sacando. Ejemplos: Prono con soga (pág. 26) y Manta de actividades (pág. 46).

■ A partir de los dos años empieza a dominar la motricidad fina. Les encantan los ladrillos, los bloques, los juegos de encastre y todo lo que implique usar sus manos. Ejemplos: Subibaja (pág. 22), enhebrado de transportes (pág. 44) y Con caritas de animales (pág. 4).

■ Más cerca de los cinco años, además de los de encastre y de construcción, ya disfruta de los juegos de mesa. Estos les incentiva su capacidad de mirar hacia adelante y medir las consecuencias de su acción. Ejemplos: Dominó (pág. 10), Juego de bowling (pág. 32) y A la pesca (pág. 20).

CONTROL DE CALIDAD

Una vez que se diseñó un juguete, hay que analizarlo a fondo, para evaluar si sirve (divierte y enseña) y para qué edad se recomienda.
Las preguntas a formularse son:

1. ¿Es un juguete completamente seguro? Ejemplo: Prono con soga (pág. 26).
2. ¿Estimula o incentiva alguna habilidad/actividad/actitud? Ejemplo: Una mariposa musical (pág. 30).
3. ¿Tiene valor lúdico? Ejemplo: Dominó (pág. 10).
4. ¿Es entretenido? Ejemplo: Aros para embocar (pág. 12).
5. ¿Es atractivo su aspecto? Ejemplo: Pollito volador (pág. 36).

Si bien todos los juguetes pueden ser didácticos, lo importante es que le permitan al niño enriquecer sus percepciones. En ese sentido, los juguetes más convenientes son los que lo habilitan a usarlo de varios modos diferentes y no lo obligan a un único tipo de juego.

MEDIDAS DE SEGURIDAD

Una clave que distingue a los juguetes buenos de los malos es el grado de seguridad que ofrecen. Al fabricarlos, hay que tener en cuenta lo siguiente:

■ Los sonajeros deben ser lo suficientemente livianos como para que el niño no pueda golpearse ni lastimarse con ellos.

■ Los sonajeros y los mordillos no deben tener partes tan largas y delgadas que puedan llegar a la garganta del bebé.

■ No deberían tener huecos ni orificios donde pudieran quedar encastrados los dedos de un bebé.

■ Las cintas y sogas no deben exceder los 20 cm para evitar que el bebé se ahogue. Esta recomendación se reitera en el proyecto de Enhebrado de transportes (pág. 44).

■ Los juguetes destinados a chicos menores de 3 años no deben contener piezas pequeñas que puedan meterse en la boca. Los 2 años es una edad muy peligrosa, porque aún continúa la etapa oral, pero, como el bebé ya se ha independizado bastante, los padres suelen controlarlo un poco menos y es frecuente que ocurran accidentes.

■ Las pinturas empleadas no deben ser tóxicas. Por eso en las páginas 2 y 3 se sugiere utilizar pinturas al agua.

■ Todas las superficies deben quedar perfectamente lisas, sin el más mínimo rastro de astillas.

Para adaptar y copiar

Éstos son los motivos usados en este libro. En cada caso hay que calcarlos y ampliarlos o reducirlos mediante fotocopias, de acuerdo con el tamaño del soporte elegido.

Teatro de títeres

pág. 8

Manta de actividades

pág. 46

Pato cunero
pág. 28

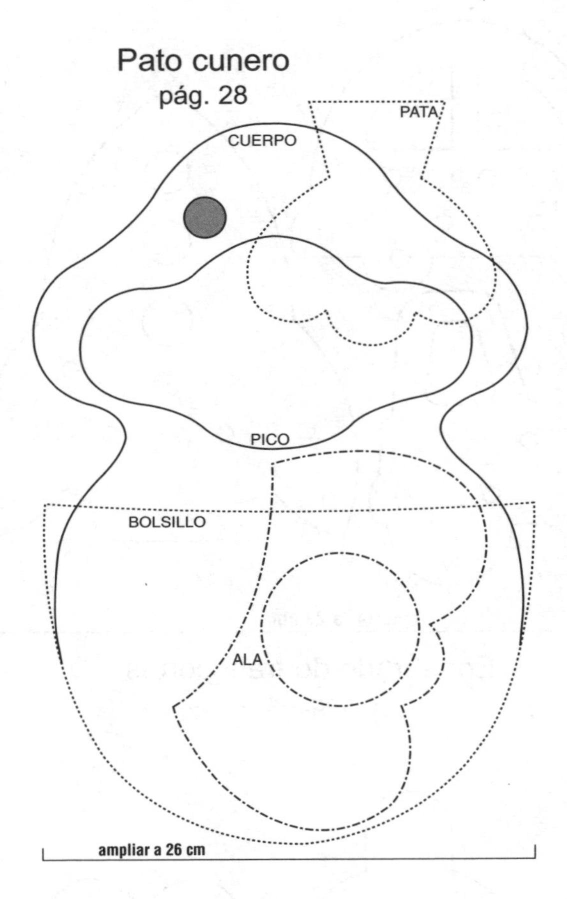

¡Arre, elefante!
pág. 24

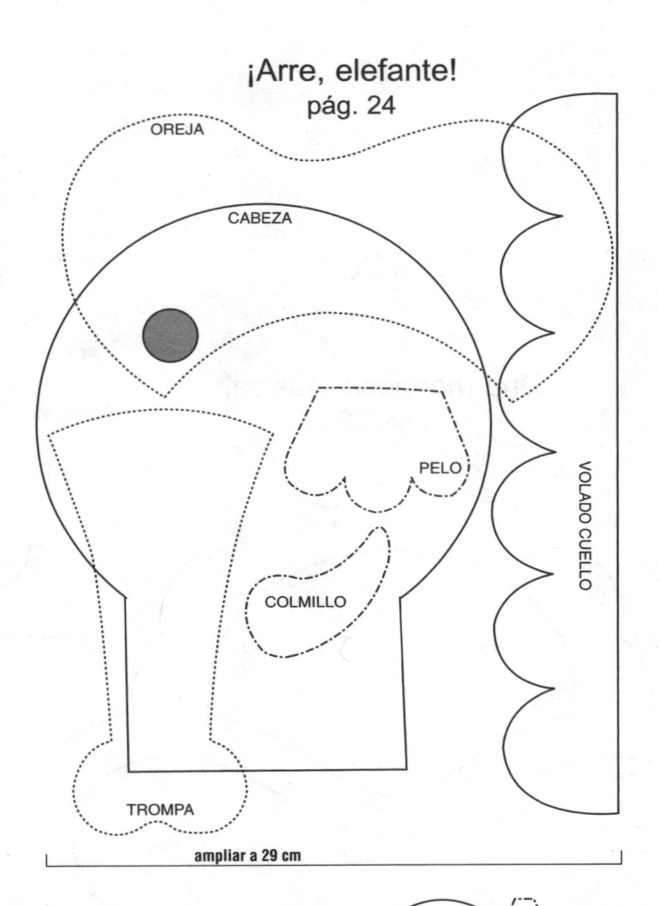

Pato cunero
pág. 28

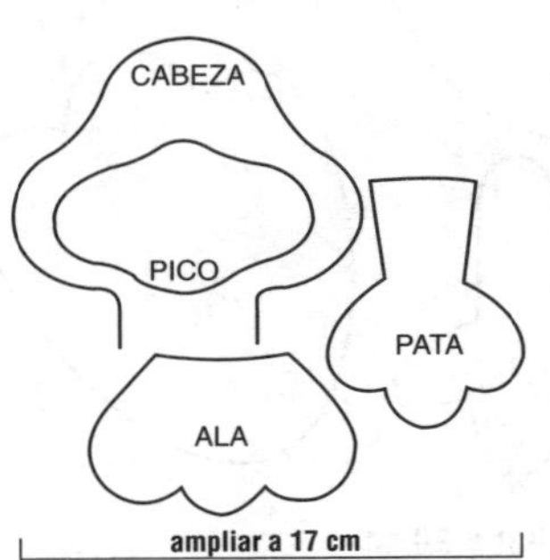

Estrellas sonoras
pág. 18

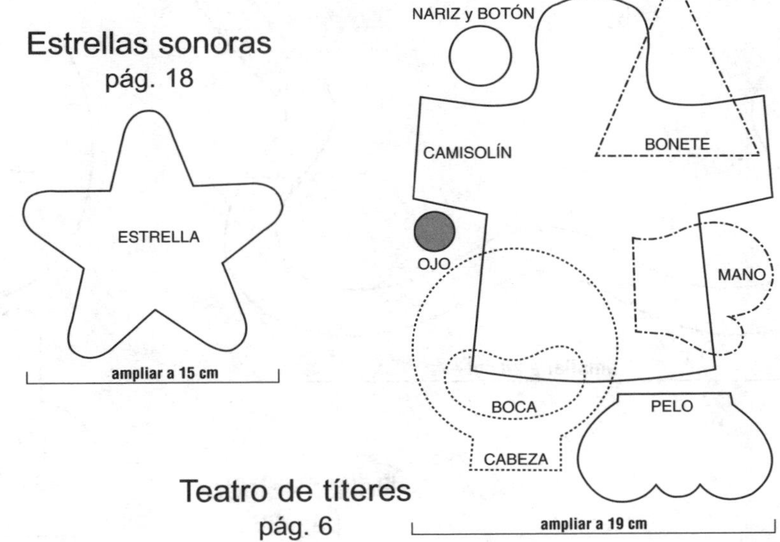

Teatro de títeres
pág. 6

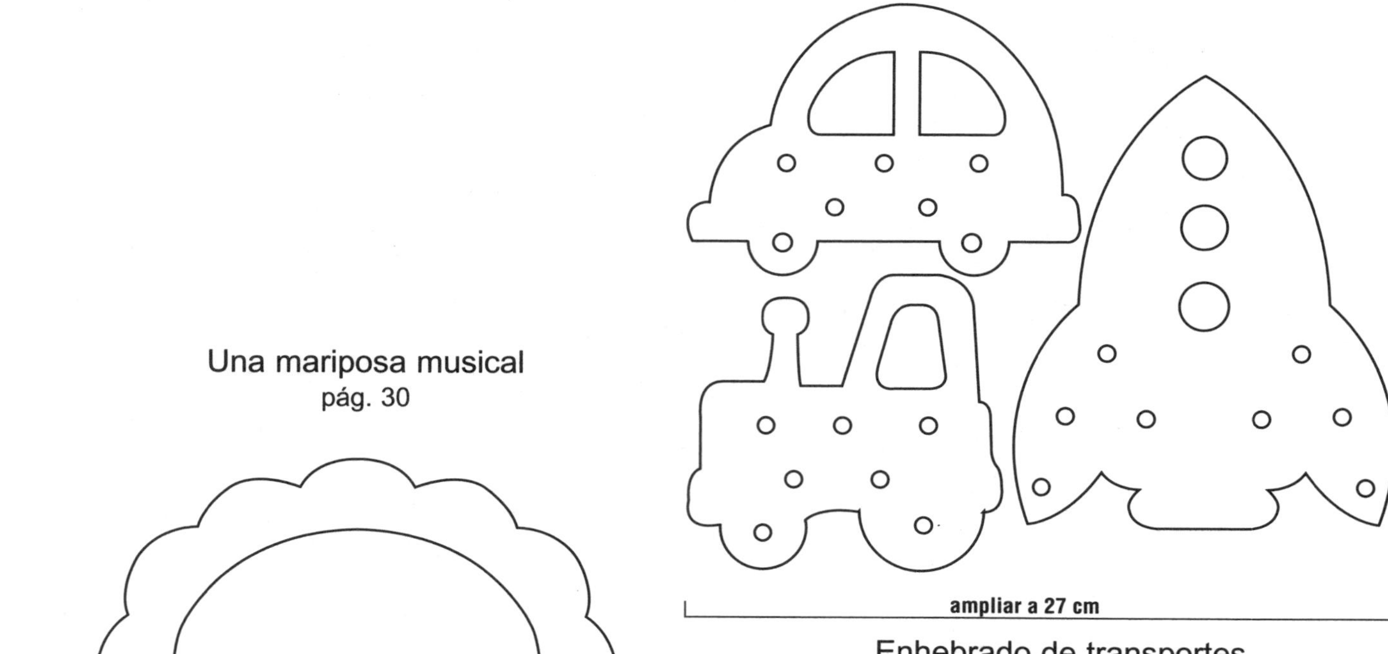

Una mariposa musical
pág. 30

ampliar a 27 cm

Enhebrado de transportes
pág. 44

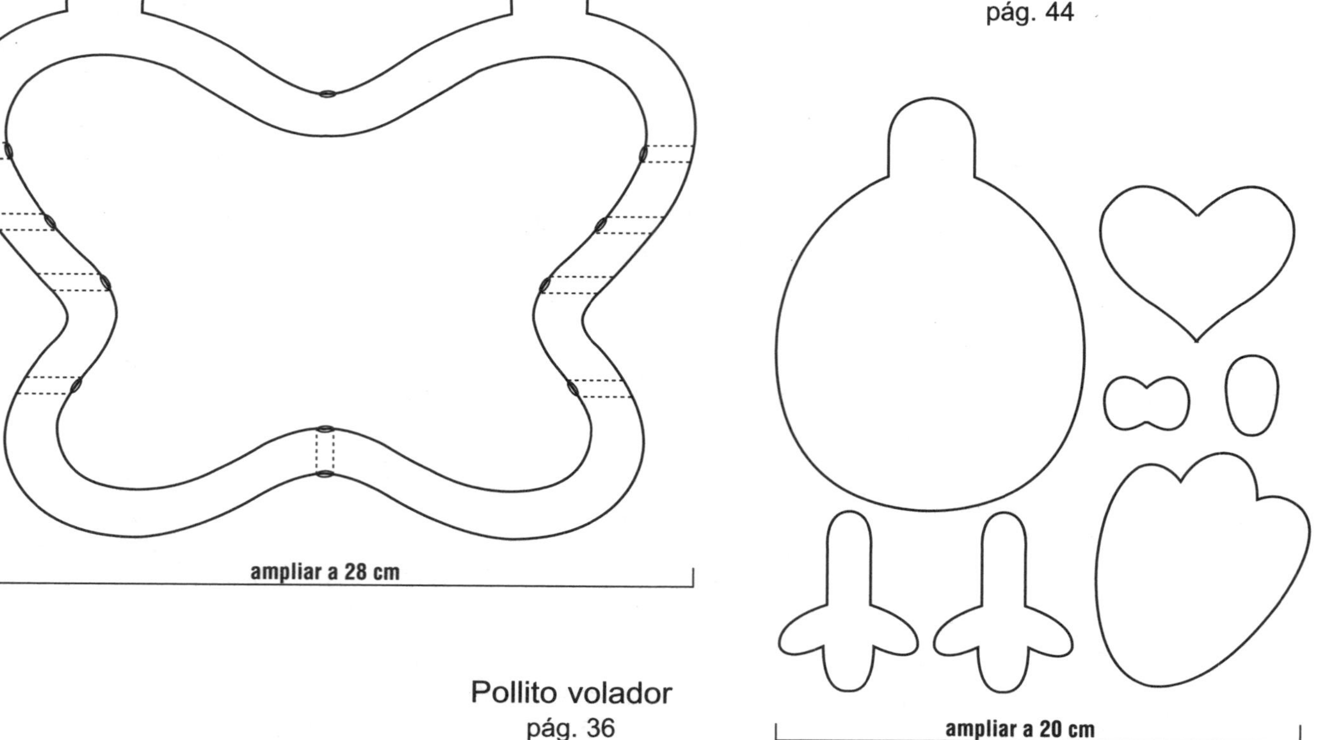

ampliar a 28 cm

Pollito volador
pág. 36

ampliar a 20 cm

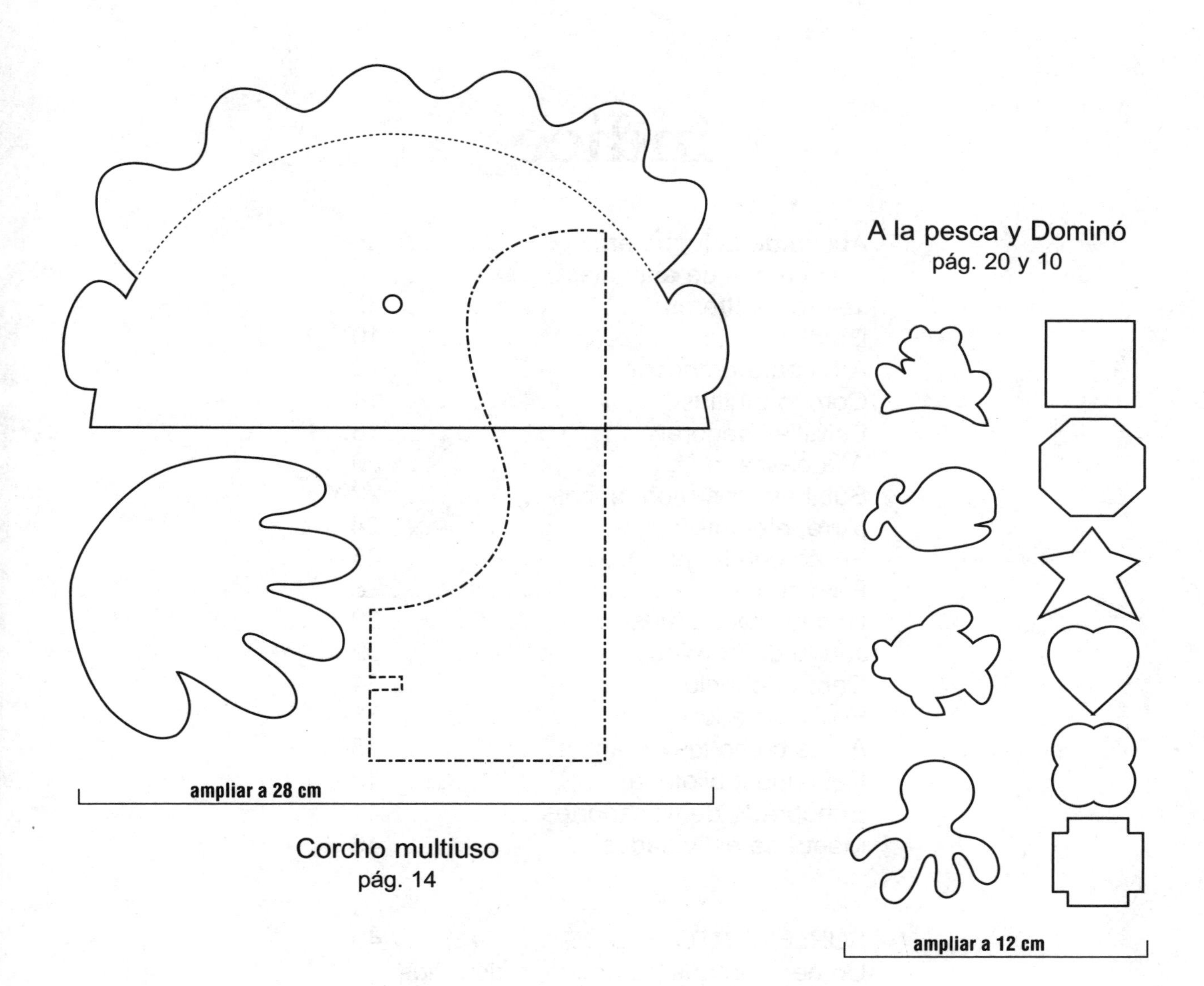

Corcho multiuso
pág. 14

A la pesca y Dominó
pág. 20 y 10

Autos como los de antes
pág. 38

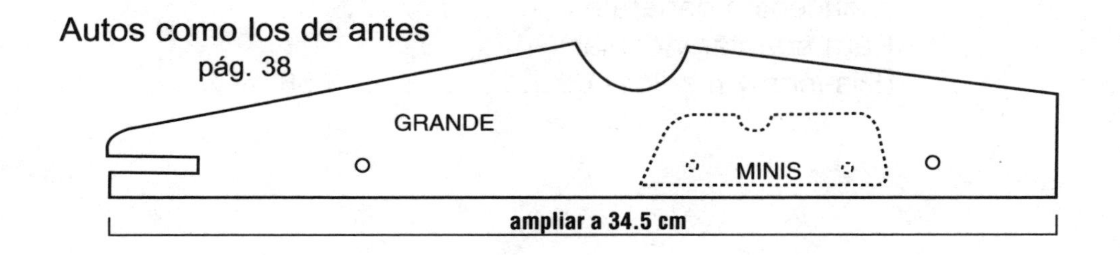

índice

Juguetes artesanales

Dirección de la colección: Isabel Toyos
Producción editorial y diseño: María Matilde Bossi
Fotos: Ariel Gutraich
Producción fotográfica: Matilde Asenzo
Redacción e informes: Florencia Romeo
Ilustraciones: Laura Jardón
Corrección: Marisa Corgatelli
Supervisión: División Arte Longseller

Casa matriz: Av. San Juan 777
(C1147AAF) Buenos Aires
República Argentina
Internet: www.longseller.com.ar
E-mail: ventas@longseller.com.ar

688.72 Lenzberg, Jennifer
LEN Juguetes artesanales / Jennifer Lenzberg, Marcela González y Carolina Buglione.- 1ª. ed.; 1ª reimp.- Buenos Aires: Longseller, 2004.
64 p.; 23x21 cm.- (Practideas)

ISBN 987-550-318-5

I. González, Marcela II. Buglione, Carolina III. Título -
1. Juguetes - Elaboración

Queda hecho el depósito que marca la ley 11.723

Impreso y hecho en la Argentina.
Printed in Argentina.

Dedicatoria

Con todo el amor a los pilares de nuestras vidas por acompañarnos en esta aventura.
Nuestros cascabelitos: Sofía, Valentina, Lucas, Nico, Panchi, Facundo y Felipe.
Nuestros amores: Christian, Carlos y Ricky.
Nuestros queridos viejos: Bibi y Norber, Tania y Pai, Graci y Juli.
Y a nuestros hermanos y amigos.

Carolina Buglione, Jennifer Lenzberg y Marcela González.

agradecimientos

- Objetos kids: Charcas 4043, Buenos Aires.
Tel.: 4833 7870
- Bepinel: Arenales: 1143, Buenos Aires.
Tel.: 4812 2014
- Papelera Palermo: Arenales 1170, Buenos Aires.
Tel.: 4811 7698 - Honduras 4943, Buenos Aires.
Tel.: 4833-3061

Juguetes artesanales Juguetes artesanales Juguetes artesanales Juguetes artesanales Juguetes artesanales Juguetes artesanales

Esta edición de 4.500 ejemplares se terminó de
imprimir en los talleres de Longseller, en Buenos Aires,
República Argentina, en mayo de 2004.